第6版

フローチャート式

歯科医のための

救急処置マニュアル

Flow Chart-Manual of
Emergency Care for Dentists

見﨑　徹・伊東 隆利・渋谷　鑛 編

医歯薬出版株式会社

執筆者一覧

医療法人伊東会　伊東歯科口腔病院	伊東　隆利
	吉武　博美
	吉武　義泰
	廣瀬　知二
日本大学客員教授（松戸歯学部）	渋谷　　鑛
日本大学松戸歯学部　歯科麻酔学講座	山口　秀紀
	卯田　昭夫
	鈴木　正敏
日本大学歯学部付属歯科病院　歯科麻酔科	岡　　俊一
	見﨑　　徹
	関野　麗子
	小柳　裕子
	北山　稔恭
	里見ひとみ
日本大学医学部　社会医学系衛生学分野	小川洋二郎
日本大学医学部　麻酔科学系麻酔科学分野	廣瀬　倫也
大阪歯科大学歯学部　医療安全管理学	佐久間泰司
東京医科歯科大学歯学部附属病院　ペインクリニック	山﨑　陽子
若島歯科医院・上野スマイル歯科インプラントセンター	中村　博和
別部歯科医院	別部　智司
まつざき歯科クリニック	松﨑　　哲
西原デンタル麻酔サポート	西原　正弘

（順不同）

はじめに

　万が一，治療中の患者さんが突然，不調を訴えたり，呼びかけに対する応答がなくなってしまったらどうしますか？

　超高齢社会［65歳以上が3,640万人，総人口の約29.1％．75歳以上が1,880万人，同15.0％（2021年9月）．2025年には3,677万人（30.0％），75歳以上が2,180万人（17.8％）］に伴い，歯科医療の現場においても治療中やその前後に医療事故が起こる危険性が増加しています．

　一般的には初診時の問診票の記入，バイタルサインの測定等により偶発症の大半は予防できるといわれていますが，治療前に待合室で，あるいは治療待ちのチェア上で患者さんが意識をなくしてしまったり，心停止状態になった事例も報告されています．

　予期せぬアクシデントに直面した際，医師の応援を要請したり，救急車等の出動を要請することも重要ですが，救急車の到着を待つ間，歯科医師だけでなくその場にいるすべてのスタッフが，目の前の患者さんに適切な救命処置や救急処置を行うことが求められています．

　2020年4月に医療法が改正され，我々に課せられた義務と責任がより明確に，より厳しくなりました．しかし，日頃からトレーニングを繰り返し行っていたとしても，実際に目の前の患者さんの全身状態が急変した時，落ち着いてバイタルサインを測定して，的確に対応するということは容易ではありません．

　そこで本書では，まず症状別にフローチャートを示し，それぞれの対処法が書かれている「Ⅰ．症状からみた対処法」，「Ⅱ．救命処置」のページをすぐに開けるよう工夫し，「その時」何をしたらよいかを，ひと目でわかるように原因，症状，対処法に分けてまとめました．特に一次救命処置は，2020年に改定されたことから，より詳しく解説しています．

　加えて，「Ⅲ．偶発症予防のためにできること」では，そもそも偶発症が起こらないようにするために，日頃からどのようなことに気をつけて治療すればよいか，問診（医療面接）や対診（照会）のポイントからバイタルサインの見方と評価方法までを，わかりやすく示しました．また，付録の動画を活用していただくことで，よりいっそう実践的な対応が可能になると思います．

　さらに，高血圧治療ガイドライン2019に準拠し，「高血圧患者の見方」について項を設けて詳述しました．

　様々な配慮を必要とする有病者・高齢者に対して，一人でも多くの歯科医師およびスタッフが，医療人として安全な歯科医療を提供して，患者さんに「安心して治療が受けられました」と言ってもらえるように，本書を存分に活用していただきたいと思います．

2022年7月

見﨑　　徹
伊東　隆利
渋谷　　鑛

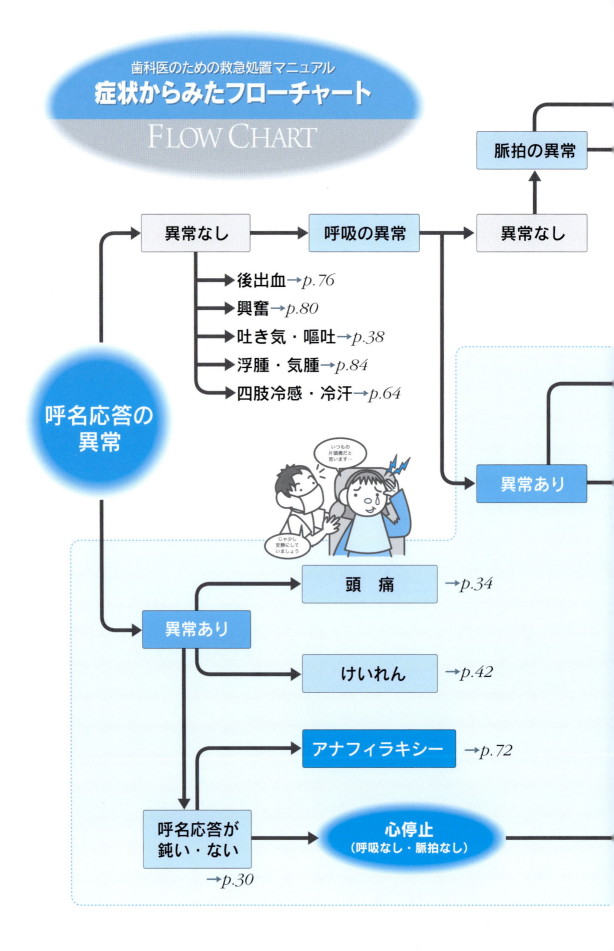

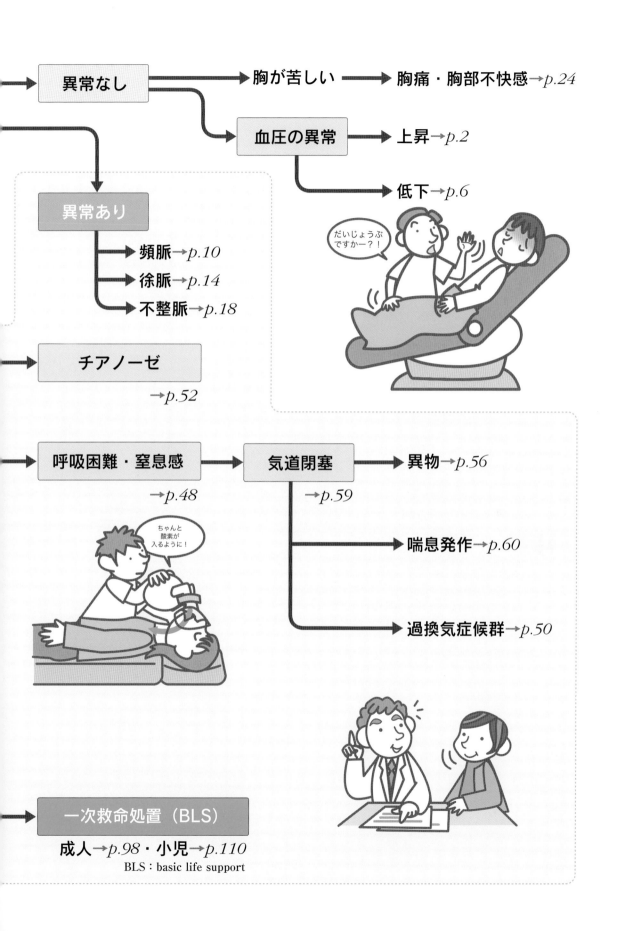

はじめに
症状からみたフローチャート

I. 症状からみた対処法

循環器
1. 血圧が急激に上昇したら ……………………… 2
2. 血圧が急激に低下したら ……………………… 6
3. 頻脈がみられたら ……………………………… 10
4. 徐脈になったら ………………………………… 14
5. 不整脈に気づいたら …………………………… 18
6. 胸痛や胸部不快感を訴えたら ………………… 24

脳・神経
7. 患者の応答が鈍くなってきたら ……………… 30
   （意識レベルの低下・意識喪失）
8. 頭痛を訴えたら ………………………………… 34
9. 吐き気を訴えたり，嘔吐したら ……………… 38
10. けいれんが起こったら ………………………… 42
11. 手足のしびれ・麻痺がみられたら …………… 46

呼吸器
12. 呼吸の異常がみられたら ……………………… 48
    （呼吸困難，窒息感，呼吸抑制）
13. チアノーゼがみられたら ……………………… 52
14. 気管・食道に異物が落ちたら ………………… 56
15. ぜんそく（気管支喘息）発作がみられたら … 60

その他	16	四肢冷感・冷汗がみられたら	64
	17	アレルギーが疑われたら	68
	18	アナフィラキシーが疑われたら	72
	19	出血が止まらなくなったら	76
	20	興奮がみられたら	80
	21	浮腫・気腫がみられたら	84
	22	骨吸収抑制薬を使用している患者の抜歯をすることになったら	88
	23	高血糖・低血糖が疑われたら	92

II. 救命処置

一次救命処置（BLS）のフローチャート …… 98

1. COVID-19 流行下での救急蘇生法 …… 100
2. 意識の確認 …… 101
3. 胸骨圧迫 …… 103
4-1. 気道確保 …… 105
4-2. 人工呼吸 …… 105
5. AED による電気ショック …… 108
6. 小児（1歳〜未就学児）の心停止時の対応 …… 110
7. 蘇生後のケア・バイタルサインの測定 …… 112
8. 自発呼吸が確認できる場合 …… 114
9. 救急薬剤の投与 …… 115
10. 救急薬品の選択と使用方法 …… 119
11. AED 製品比較表 …… 122

III. 偶発症予防のためにできること

- 1 安全な歯科治療のための提案 ……………… 126
- 2 問診（医療面接）のポイント ……………… 128
- 3 内科（主治医）対診（診療情報提供）のポイント …… 134
- 4 カルテ開示を求められた際の対応 ………… 140
- 5 訪問歯科診療を安全に行うためのポイント ……… 145
- 6 バイタルサインの見方と評価
  - 1 血圧 …………………………………… 150
  - 2 脈拍 …………………………………… 156
  - 3 動脈血酸素飽和度 …………………… 160
  - 4 呼吸 …………………………………… 164
- 7 亜酸化窒素（笑気）吸入鎮静法を有効に行うためのポイント ……… 168
- 8 高血圧患者の見方 ……………………………… 170

COLUMN

- 歯科治療内容に応じた全身状態評価（リスク分類）と全身管理法 ……… 17
- rt-PA：アルテプラーゼ（alteplase）静注療法 ……… 36
- 知覚過敏，錯知覚（錯感覚） ……………………… 47
- メトヘモグロビン血症 ……………………………… 55
- 加齢による四肢の冷感 ……………………………… 65
- 汗もいろいろ——精神的発汗と基礎発汗 ………… 67
- 静脈注射用抗菌薬の皮内反応試験 ………………… 75
- AEDの使用状況（普及率・使用率・救命率） …… 124
- スルーしてはダメ，「白衣高血圧」 ………………… 173

文献／175　索引／178

付録：クリニックにおける救急処置，心停止時の一次救命処置

イラストレーション：森野さかな

付録動画コンテンツ

第一部　全身管理法と救急処置
1. プロローグ
2. 問診（医療面接）と対診（問い合わせ）のポイント
3. 生体情報モニタ（血圧計）の使い方
4. パルスオキシメータの使い方
5. モニタ心電計の使い方
6. 亜酸化窒素（笑気）吸入鎮静法のポイント
7. 偶発症への対応，酸素投与法のポイント
8. 注射法の実際

第二部　気道異物の除去法
1. 立位での気道異物の除去
2. 仰臥位での気道異物の除去

第三部　心停止時の対処法
1. プロローグ
2. 意識・呼吸・脈拍の確認と119番通報
3. 床の上での一次救命処置（BLS）
4. デンタルチェア上での一次救命処置（BLS）

（※「成人における血圧値の分類」については本文p.172の表3を参照されたい）

動画コンテンツの視聴方法等について

本書に関連した動画を以下の方法にてインターネット上で視聴することができます．

方法1　パソコンで視聴する
以下のURLにアクセスし，該当項目をクリックすることで動画を視聴することができます．
https://www.ishiyaku.co.jp/ebooks/446660/
［動作環境］
Windows 10以上のMicrosoft Edge 最新版
MacOS 10.15以上のSafari 最新版

方法2　スマートフォン・タブレットで視聴する
右の二次元コードからサイトにアクセスし，該当項目をタップすることで動画を視聴することができます．

［動作環境］
Android 10.0以上のChrome 最新版
iOS 15以上のSafari 最新版
※フィーチャーフォン（ガラケー）には対応しておりません．

◆注意事項
・お客様がご負担になる通信料金について十分にご理解の上ご利用をお願いします．
・本コンテンツを無断で複製・公に上映・公衆送信（送信可能化を含む）・翻訳・翻案することは法律により禁止されています．

◆お問い合わせ先
以下のお問い合わせフォームよりお願いいたします．
https://www.ishiyaku.co.jp/ebooks/inquiry/

Ⅰ

症状からみた対処法

I. 症状からみた対処法

1 血圧が急激に上昇したら

迅速かつ適切な降圧処置が必要な状態．
- 急激な血圧上昇がみられた時
- 異常高血圧（最高血圧 200mmHg 以上または最低血圧 140mmHg 以上）となった時

原因（図1）

歯科治療に対する不安や緊張，局所麻酔・手術侵襲・治療による疼痛等，様々なストレスにより，内因性カテコラミンの分泌が増加し，血圧が著しく上昇することがある．また，歯科用局所麻酔薬に添加されている血管収縮薬（アドレナリン）によっても血圧は上昇する．これらは特に高血圧症患者や高齢者で上昇が顕著で，注意が必要である．

症状

血圧の異常上昇だけでなく，標的臓器障害が急速に進行した場合，直ちに降圧治療を開始しなければ致命的になりうる**高血圧緊急症**になる．そのうち**高血圧性脳症**は，脳血流の自動調節能が破綻し，血管性浮腫，頭蓋内圧亢進，細胞障害性浮腫を引き起こす病態である．その場合の症状は，頭痛，悪心，嘔吐，視力障害，けいれん，意識障害等である．血圧は 220 / 110mmHg 以上を呈することが多い．

対処法（図2）

治療を中断し，酸素投与（4〜6L / min）を行う．原因除去とともに必要に応じて降圧処置を行う．ニフェジピン（アダラート®）5または 10mg の経口投与，あるいはニトロールスプレー®の口腔粘膜噴霧（1回）を行い，降圧を試みる．速やかに血圧を下げる場合，静脈投与が必要となる．ニカルジピン（ペルジピン®：2mg / 2mL，10mg / 10mL）を1〜2mg ずつ緩徐に投与，またはジアルチアゼム（ヘルベッサー®：10mg）を数分かけて 10mg 静脈注射する．

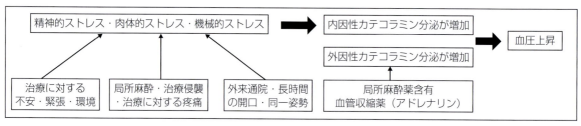

図1　血圧上昇の原因とメカニズム

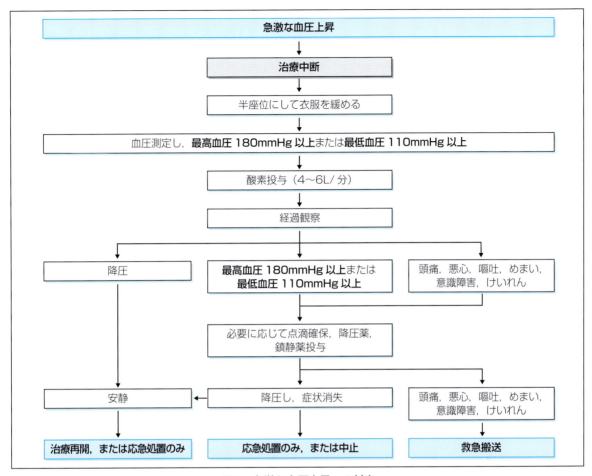

図2 急激な血圧上昇への対応

　興奮，けいれん，不穏，過呼吸等を呈したら，ミダゾラム（ドルミカム®：10mg／2mL）あるいはジアゼパム（セルシン®，ホリゾン®：5mg／mL，10mg／2mL）を2.5～10mg緩徐に静注する．いずれも呼吸抑制に注意する必要がある．また，急激な血圧低下は脳虚血に陥りやすいため，血圧，脈拍，動脈血酸素飽和度等のバイタルサイン測定は必須である．高血圧性脳症の症状が発現，持続，悪化したら救急車で専門病院に搬送する必要がある．

予測される合併症

　血圧上昇は，虚血性心疾患や脳血管障害（脳卒中）等を起こしやすい（**表1**）．

I. 症状からみた対処法

表1　診療室血圧に基づいた脳心血管リスク層別化（日本高血圧学会高血圧治療ガイドライン作成委員会編；2019[1]）

リスク層： 血圧以外の予後影響因子	高値血圧 130～139/ 80～89mmHg	Ⅰ度高血圧 140～159/ 90～99mmHg	Ⅱ度高血圧 160～179/100 ～109mmHg	Ⅲ度高血圧 ≧180/≧110 mmHg
リスク第一層： 予後影響因子がない	低リスク	低リスク	中等リスク	高リスク
リスク第二層： 年齢（65歳以上），男性，脂質異常症，喫煙のいずれかがある	中等リスク	中等リスク	高リスク	高リスク
リスク第三層： 脳心血管病既往，非弁膜症性心房細動，糖尿病，蛋白尿のあるCKDのいずれか，または，リスク第二層の危険因子が3つ以上ある	高リスク	高リスク	高リスク	高リスク

JALSスコアと久山スコアより得られる絶対リスクを参考に，予後影響因子の組み合わせによる脳心血管病リスク層別化を行った．層別化で用いられている予後影響因子は，血圧，年齢（65歳以上），男性，脂質異常症，喫煙，脳心血管病（脳出血，脳梗塞，心筋梗塞）の既往，非弁膜症性心房細動，糖尿病，蛋白尿のあるCKD（慢性腎臓病）である

 予防策

　日常のバイタルサインを把握し，患者の年齢および合併疾患による基準血圧（表2，3）を参考にしながら治療中のバイタルサインを測定する．必要に応じて診療情報提供書で主治医に対診する．常日頃から救急薬剤の使用方法を確認するとともに筋肉注射や静脈路確保等のトレーニングを行うことで，合併症に対する対応を万全にしておく．

表2　成人における血圧値の分類（診療室血圧）

分類	収縮期血圧 （mmHg）		拡張期血圧 （mmHg）
正常血圧	<120	かつ	<80
正常高値血圧	120～129	かつ	<80
高値血圧	130～139	かつ/または	80～89
Ⅰ度高血圧	140～159	かつ/または	90～99
Ⅱ度高血圧	160～179	かつ/または	100～109
Ⅲ度高血圧	≧180	かつ/または	≧110
（孤立性）収縮期高血圧	≧140	かつ	<90

（日本高血圧学会高血圧治療ガイドライン作成委員会編：2019[1]）

 ポイント

ニフェジピン（アダラート®）は，従来，舌下あるいは点鼻により投与していたが，①過度の血圧低下，②反射性頻脈をきたす可能性があることから禁忌であり，経口投与で用いる．

メタボリックシンドロームと高血圧

日本高血圧学会が提案している高血圧治療ガイドライン 2019（抜粋）には，以下のことが示されている．

① メタボリックシンドロームは，心血管病発症の重要な危険因子であり，厳格な血圧管理が推奨されている．

② 75 歳未満の場合は 130/80mmHg 未満とし，75 歳以上の場合は 140/90mmHg 未満としている．

表3　降圧目標（日本高血圧学会高血圧治療ガイドライン作成委員会編，2019[1]）を改変）

	診療室血圧（mmHg）	家庭血圧（mmHg）
75 歳未満の成人 脳血管障害患者（両側頸動脈狭窄や脳主幹動脈閉塞なし） 冠動脈疾患患者 CKD 患者（蛋白尿陽性） 糖尿病患者 抗血栓薬服用中	<130/80	<125/75
75 歳以上の高齢者 脳血管障害患者 （両側頸動脈狭窄や脳主幹動脈閉塞あり，または未評価） CKD 患者（蛋白尿陰性）	<140/90	<135/85

降圧目標を達成する過程ならびに達成後も過降圧の危険性に注意する．過降圧は到達血圧のレベルだけでなく，降圧幅や降圧速度，個人の病態によっても異なるので個別に判断する

難治性（治療抵抗性）高血圧

生活習慣の修正や適切な降圧薬の継続投与を行っても，なお目標血圧まで下がらない場合を難治性（治療抵抗性）高血圧という．その原因と対策としては**表4**のように示されている．

表4　高血圧治療における治療抵抗性およびコントロール不良高血圧の要因と対策
（日本高血圧学会高血圧治療ガイドライン作成委員会編，2019[1]）を改変）

要因	対策
血圧測定上の問題 　小さすぎるカフ（ゴム嚢）の使用 　偽性高血圧	カフ幅は上腕周囲の 40％，かつ，長さは少なくとも上腕周囲を 80％取り囲むものを使用する． 高度な動脈硬化に注意する．
白衣高血圧，白衣現象	家庭血圧，自由行動下血圧測定により確認する．
服薬管理の問題（アドヒアランス不良）	十分な説明により服用薬に対する不安を取り除く，副作用がでていれば他剤に変更する． 繰り返す薬物不適応には精神的要因も考慮する，経済的問題も考慮する． 患者の生活に合わせた服薬スケジュールを考える，医師の熱意を高める．
生活習慣の問題 　食塩摂取の過剰 　肥満（エネルギー摂取過剰，運動不足） 　過度の飲酒	減塩の意義と必要性を説明する，管理栄養士と協力して繰り返し指導する． エネルギー制限や運動について繰り返し指導する． 飲酒量はエタノール 20～30mL（おおよそ日本酒1合，ビール中ビン1本に相当）/日以下に留めるよう指導する．
睡眠時無呼吸症候群	CPAP（持続性陽圧呼吸）等適切な治療を行う．
体液量過多 　利尿薬の使い方が適切でない 　腎障害の進行	3 種以上の併用療法では，1薬を利尿薬にする，腎機能低下例（eGFR 30mL/分/1.73m^2 未満）ではループ利尿薬を選択する，利尿薬の作用持続をはかる． 減塩を指導し，上に述べた方針に従い利尿薬を用いる．
降圧薬の組み合せ，用量が不適切 薬効持続が不十分	異なる作用機序をもつ降圧薬を組み合わせる，利尿薬を含める，十分な用量を用いる． 早朝高血圧，夜間高血圧の場合は，降圧薬を夜または夕に用いる．
血圧を上昇させうる薬物や食品	非ステロイド性抗炎症薬，副腎皮質ステロイド，甘草を含む漢方薬，グリチルリチン製剤，経口避妊薬，シクロスポリン，エリスロポエチン，抗うつ薬，分子標的薬等を併用していれば，可能であれば中止あるいは減量する．各薬物による昇圧機序あるいは相互作用に応じた降圧薬を選択する．
二次性高血圧	特徴的な症状・所見の有無に注意し，スクリーニング検査を行う，高血圧専門医に紹介する．

〈岡　俊一〉

I. 症状からみた対処法

2 血圧が急激に低下したら

歯科治療時に急激に血圧が低下する状態は，脳貧血（様）発作が起きている可能性が高い．

🌱 原因

歯科治療を受ける患者は，不安，緊張，痛みの経験等の精神的ストレスによる緊張のため，治療前に交感神経優位の状態になりやすい．その際，患者は無意識のうちに自律神経のバランスをとろうとし，副交感神経を優位になろうとする．その状態で，歯科治療に対する過度の緊張・音・臭い・痛み等が加わると，一気に副交感神経が優位となり血圧は低下する．多くは局所麻酔の注射針の刺入時，薬剤注入時，注入後に起こりやすい．迷走神経（副交感神経）緊張で意識消失した場合，血管迷走神経性失神とよばれることが多い．

🔍 症状

血圧低下，徐脈（場合によっては触知不能），顔面蒼白，気分不快，冷汗，悪心，周囲への無関心，さらに呼吸の減弱，筋の緊張低下，意識消失等がみられることがある．

⤢ 対処法（図1）

水平仰臥位にし，下肢の挙上（5〜15°）を行う．フェイスマスク（3〜6L/分）または経鼻カニューラ（2〜3L/分）から酸素を投与しながら意識，呼吸，脈拍，血圧を測定監視しながら，酸素吸入を行う．呼びかけ，肩を叩いて刺激し，応答を確かめる．比較的短時間で回復することがほとんどである．

徐脈（50回/分以下））に対しては，**アトロピン硫酸塩水和物（アトロピン硫酸塩）**0.5mgを筋肉注射あるいは0.25〜0.5mgを静脈注射する．

最高血圧が70mmHg以下（脈拍が触知不能）の場合，昇圧薬として**エフェドリン塩酸塩（エフェドリン）**5〜10mg，または**エチレフリン塩酸塩（エホチール®）**5〜10mgを筋肉注射または2〜4mg静脈注射する．薬剤投与時は継続的にバイタルサインを測定する必要がある．

📊 予測される合併症

チアノーゼ，心停止，尿量減少等が起こりうる．

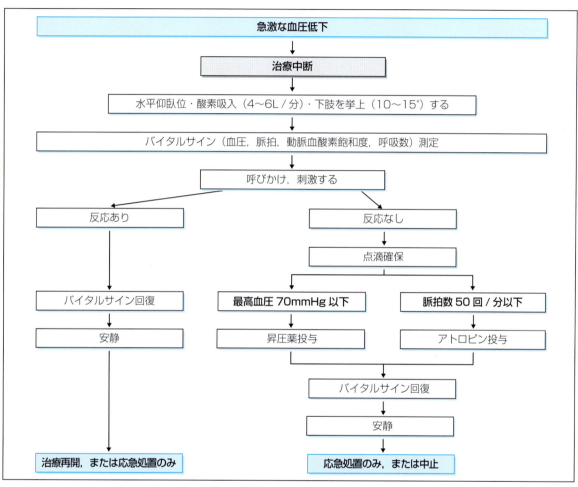

図1 急激な血圧低下への対応

I. 症状からみた対処法

予防策（図2）

　十分な精神的庇護のもと，発症原因であるストレス刺激と疼痛の軽減を様々な方法で実行する．過去に脳貧血発作を起こしたことのある患者は，再び発作を起こすかもしれないという不安や恐怖から緊張状態になりやすい．そのために，血圧，脈拍等のモニタリング下で，亜酸化窒素（笑気）吸入鎮静法あるいは静脈内鎮静法を併用し，不安を軽減する．また治療は水平位で行い，局所麻酔の刺入時の痛みを減弱させるために表面麻酔を併用するとよい．

　高齢者は，高血圧症や糖尿病等，種々の合併症を有している割合が高い．そのため基準となる血圧も高いことがほとんどである．高齢者は元々脳循環，冠動脈循環，腎血流等の主要臓器の血流量は低下し，さらに各臓器の血流自動調節能（autoregulation）は障害され，血圧下限値が高血圧側に動いている．つまり，急激に血圧を下げすぎることは，これらの臓器の血流障害をもたらす可能性があり，特に**脳梗塞**や**心筋梗塞**の既往のある患者では，よりゆっくり血圧を下げる必要がある．

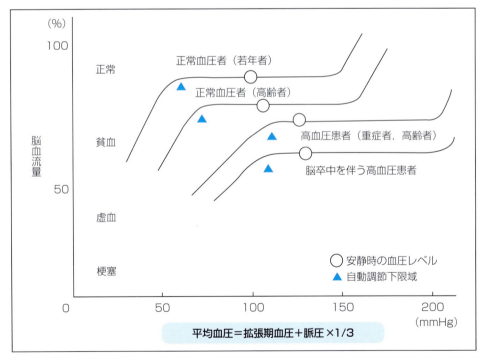

図2　正常血圧者，高血圧患者，脳卒中を伴う高血圧患者の脳血流と脳自動調節域（日本高血圧学会高血圧治療ガイドライン作成委員会編，2007[2]）
　高血圧患者では安静時の脳血流は低下し，自動調節下限域は上方（右方）へ偏位する（藤島正敏 原図）

〈岡　俊一〉

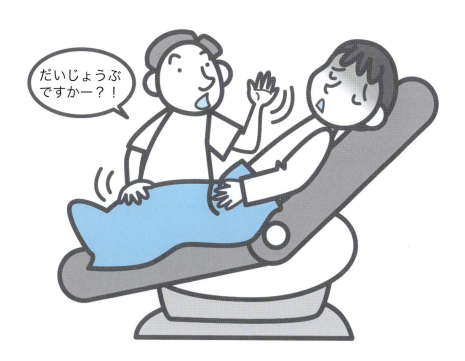

Ⅰ. 症状からみた対処法

3 頻脈がみられたら

頻脈とは‥‥脈拍数が1分間に100回以上の状態.

原因

頻脈は発熱,貧血,心不全,甲状腺機能亢進症等の他,通常でも興奮時,運動時等,交感神経の緊張が亢進することにより起こることが多い.頻脈をきたす主な全身疾患は**表1**の通りである.

歯科治療中は不安,恐怖,痛み,局所麻酔,治療行為そのもの等が原因で頻脈になりやすい.また,歯科用局所麻酔薬に添加されている血管収縮薬(アドレナリン)も頻脈を引き起こす作用がある.

症状

脈拍数が100回/分以上となるため,患者は動悸,不安感等を訴える.

対処法

局所麻酔薬注入直後の偶発症と対処法を**図1**に,一般的な頻脈の対処法を整脈,不整脈に分けて**図2**に示した.

不整脈のみつけ方

頻脈性不整脈の分類を**図3**に示した.

予防策

歯科治療を行う前に,患者が既に頻脈になっているか,あるいは頻脈を引き起こすような全身疾患を有しているかを確認する必要がある.

具体的には,初診時に全身疾患,服用薬剤,アレルギーの有無をチェックするとともに**バイタルサインを測定・記録しておく**.

治療中は,患者の不安や恐怖を取り除くために,精神鎮静法,表面麻酔等を併用した無痛処置が必要である.さらに,局所麻酔薬の血管内への注入を避けるために,浸潤麻酔の場合でも薬液注入前に吸引する.頻脈になりやすい患者には,局所麻酔薬として**シタネスト–オクタプレシン®**や**スキャンドネスト®**を使用する方が好ましい.

表1　頻脈をきたす全身疾患または状態

サイロキシン分泌過多	バセドウ病（甲状腺腫，頻脈，眼球突出，血中 T_3・T_4 値上昇） 亜急性甲状腺炎（発熱，甲状腺腫，頸部痛，赤沈促進） 甲状腺がん（頸部圧迫感，やせ，甲状腺腫瘍） 橋本病（びまん性甲状腺腫）
アドレナリン分泌過多	褐色細胞腫（頭痛，動悸，発汗，高血圧，尿中カテコールアミン増加） 神経芽細胞腫（腹部腫瘤）
低血糖発作	インスリノーマ（失神，低血糖，糖分の投与有効） アジソン病（色素沈着，嘔吐，低ナトリウム血症）
心疾患	心房細動（絶対性不整脈，心電図上 P 波欠如や f 波存在） 心筋炎（発熱，易疲労，心電図上 ST-T の変化，房室ブロック） WPW 症候群（心電図上 PQ 短縮，デルタ波の存在や上室性頻拍） 発作性頻拍（突然の頻拍，心悸亢進，胸内苦悶）

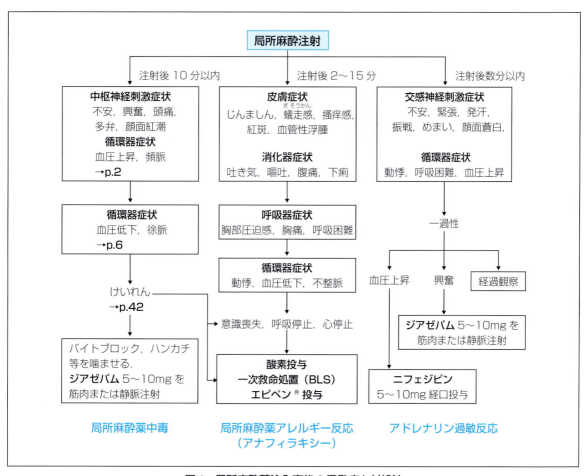

図1　局所麻酔薬注入直後の偶発症と対処法

I. 症状からみた対処法

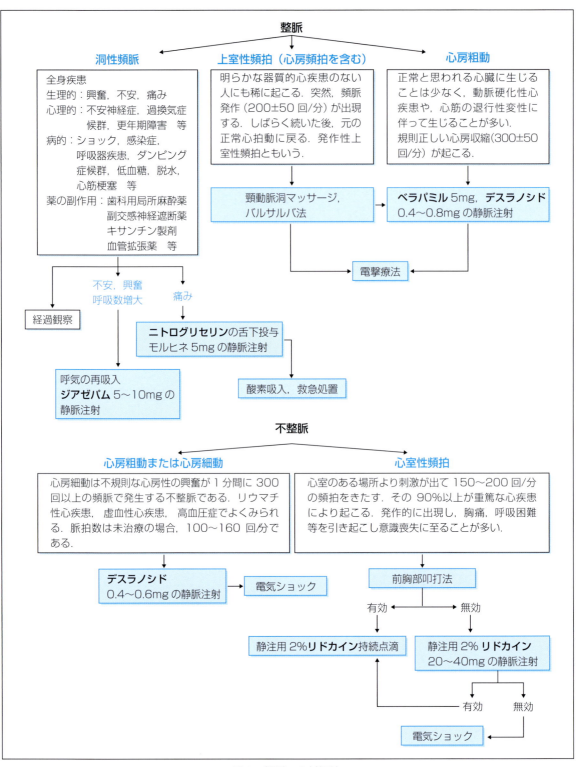

図2 頻脈への対処法

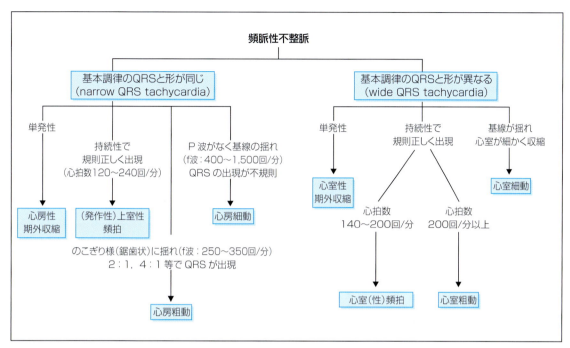

図3　頻脈性不整脈のみつけ方

〈岡　俊一・小川洋二郎〉

I. 症状からみた対処法

4 徐脈になったら

徐脈とは‥‥脈拍数が1分間に59回または49回以下の状態.

🌱 原因

徐脈は生理的にもみられ，副交感（迷走）神経の緊張亢進が原因としてもっとも多い．若年者，高齢者，スポーツ選手ではしばしば徐脈が認められる．また，各種薬剤も原因となる．さらに，房室ブロック，脳貧血発作時の失神等でもみられる．

徐脈をきたすおもな全身疾患（状態）は**表1**の通りである．

🔍 症状

歯科治療において，交感神経が亢進（不安や恐怖を感じている状態）している患者が，局所麻酔や歯科治療等により痛みを感じた場合，急激に副交感神経優位になり，**脳貧血（様）発作**（疼痛性ショック，神経原性ショック）を起こしやすい．この場合，めまいや低血圧等を伴うことも多い．静脈路確保のための静脈穿刺時にも発生することがある．

⤢ 対処法

血圧・脈拍を測定するとともに**酸素吸入**，**ショック体位**等を行う必要がある．ほとんどの場合，この処置で回復する．しかし，著明な徐脈（49回/分以下）では，全身の臓器，特に脳・心臓・腎臓の循環不全の結果，意識障害，けいれんを起こすアダムス・ストークス症候群に移行する可能性がある．その場合，厳重な血圧・脈拍・心電図の監視下で，**アトロピン**（0.5～1.0mg）を筋肉注射または緩徐に静脈注射する（**図1**）．

表1 徐脈をきたす主な全身疾患または状態

サイロキシン分泌低下	粘液水腫（寒がり，皮膚乾燥，血中 T_3 値・T_4 値低下，甲状腺刺激ホルモン値上昇） 橋本病（びまん性甲状腺腫） 下垂体前葉機能低下症（寒がり，低血糖，副腎皮質刺激ホルモン，甲状腺刺激ホルモン値低下）
副腎皮質機能不全	アジソン病（色素沈着，嘔吐，低ナトリウム血症）
栄養障害	神経性食欲不振症（食欲不振，やせ，無月経，低体温，低血糖）
副交感（迷走）神経刺激	縦隔腫瘍（胸痛，息切れ，咳） 脳出血（昏睡，片麻痺，脳内血腫，血性髄液） 脳腫瘍（頭痛，嘔吐，けいれん）

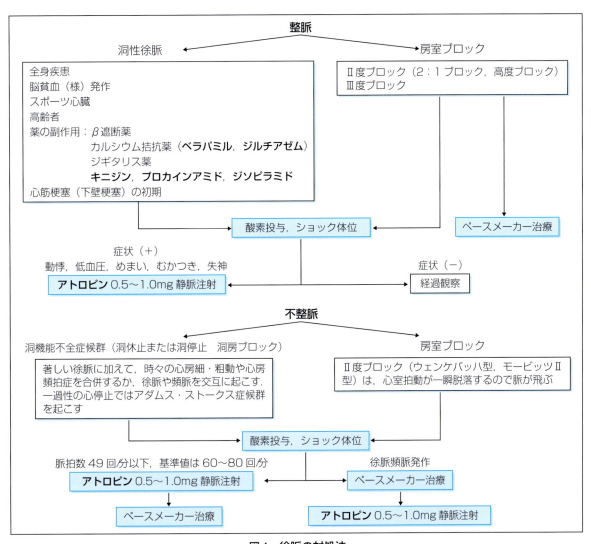

図1 徐脈の対処法

I. 症状からみた対処法

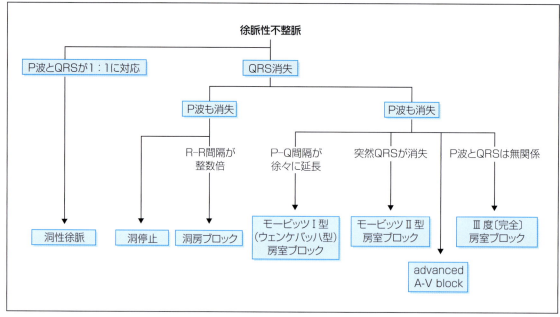

図2　徐脈性不整脈のみつけ方

 徐脈性不整脈のみつけ方

徐脈性不整脈の分類を**図2**に示した．

 予防策

歯科治療を行う前に，全身疾患や服用薬剤をチェックし，高齢者や有病者では**あらかじめバイタルサインを測定・記録する**必要がある．治療開始前に主治医に文書で対診する．治療に際しては，患者の不安や恐怖を取り除くために，精神鎮静法や表面麻酔を併用することにより，無痛処置を心がける．

〈岡　俊一・小川洋二郎〉

COLUMN

歯科治療内容に応じた全身状態評価（リスク分類）と全身管理法
——目前の患者にどの程度の侵襲的治療が行えるのか？

　従来の全身状態評価は全身疾患を基に評価（ASA分類等）していたが，治療内容によってリスクは異なる．特に歯科治療においては局所麻酔を必要とする頻度が高いことから，歯科治療内容との関連性を重視して全身状態を評価し，どのような全身状態管理を行えば，より安全に歯科治療を行えるのかを示唆できると思われる．

表　歯科治療内容に応じた全身状態評価〔リスク分類，日本有病者歯科医療学会（案）〕

1. 全身状態	2. 歯科治療内容	3. モニタリング（血圧，脈拍数，経皮的動脈血酸素飽和度等）の必要性
Ⅰ　全身状態良好	A　義歯調整，咬合採得，外科後処置等	①　不要
Ⅱ　歯科治療恐怖症，高齢（65歳以上）	B　（局所麻酔なし，約30分以内）印象採得，歯石除去，充填・歯冠形成処置等	②　生体情報モニタによるモニタリング
Ⅲ　高血圧症，糖尿病，虚血性心疾患，呼吸器疾患等の定期的な受診，服薬状況，自己管理等によりコントロール良好	C　（局所麻酔あり，約30分以内）充填・歯冠形成，SRP等	③　②＋酸素投与ないしは亜酸化窒素（笑気）吸入鎮静法併用
Ⅳ　抗血栓薬，BP製剤服用	D　（約30分以内）抜髄，普通抜歯，1歯のインプラント一次手術等	④　③＋必要に応じて静脈内鎮静法
Ⅴ　医科疾患のコントロール不良，仰臥位にて「SpO_2；95％未満」	E　（1時間前後）難抜歯，歯周外科処置，数歯のインプラント一次手術等	
	F　（1時間以上）多数歯治療，ブリッジ形成，外科手術，歯周外科手術等	
	G　（1時間30分以上）広範囲・多部位のインプラント一次手術	
	H　緊急性のある処置	

例）患者は70歳の男性，160cm，78kg，高血圧で降圧薬を服用して普段の血圧は平均すると130/80mmHgである．その他には特に全身上の問題点はない．今回，上顎大臼歯部の抜髄をすることになった．この患者の評価と全身管理方法はⅢ-D-③となる

〈見﨑　徹〉

5 不整脈に気づいたら

心臓の機能のうち，調律機能の障害を総称して不整脈（表1）という．
刺激の生成異常と伝導異常に大別される．
病的因子，疾患背景，重症度，危険度，予後等，多くの考慮すべき項目がある．

原因

生理的原因，病理的原因，（薬物的原因）に大別される（**表2**）．

症状

パルスオキシメータを装着したり，脈拍（橈骨動脈等）を触知して，リズム（調律）が一定でない場合は不整脈を疑う．

対処法

不整脈が疑われたら，循環器専門医に依頼して**標準12誘導心電図**検査を行う．通常，歯科治療中や手術中のモニタ誘導としてはP波の判別が容易な標準Ⅱ誘導が用いられる．歯科治療において胸部に電極を装着しにくい場合には，両手首に装着する場合もあるが，基線が乱れるため正確な心電図を記録できない（＝心電図の正確な判読ができない）ことが多い．

1. 心電図波形のもつ意味（図1，表3）

体表面に装着した電極を介して心臓の自動性，興奮性，伝導性等を検出し，波形（図形）として描出したものが**心電図**（electrocardiogram：ECG）である．

心電図をモニタする目的は，不整脈の発見だけでなく，局所麻酔やストレスによる自律神経系の変化，心筋に対する局所麻酔薬の直接的な抑制の程度や術中の使用薬剤の影響等を評価するためでもある．

2. 心電図判読のポイント

1）**心電図記録用紙のきまり（図2）**
  ① 心臓の収縮，拡張は時間的な経過で記録される（標準速度 25mm/秒）
  ② マス目の1単位は横に時間（0.04秒），縦に電圧（1.0mV＝10mm）を示す．

2）**心電図波形の意味**
  ① 心臓の1回の収縮，拡張は1拍の脈拍として心電図上でP波，QRS，T波で構成される．
  ② 整脈では規則正しい間隔で同形の波形が繰り返される．
  ③ 正確な心電図診断を行うためには標準12誘導心電図を記録する必要がある．

表1　不整脈の波形とその特徴（　　　……緊急，　　　……要注意）

不整脈	波形例	心電図上の特徴
洞性不整脈		R-Rは不規則に変動（0.12～0.16秒以上）．P波は認めるが，時にP波も変形．呼吸性と非呼吸性がある．
洞性頻脈		R-Rは0.6秒以下（100拍/分以上）で，やや不整．P波が認められ，PQも一定．
洞性徐脈		R-Rが1.2秒以上（50拍/分以下）で，やや不整．P波が認められ，PQも一定．
上室性期外収縮		P-P，それに伴うR-Rが部分的に短縮．その際，PQは少し延長することがある．P波の形が多少変形し，PQが短縮したり，QRS中に埋もれたり，QRSのすぐ後に出現することもある．QRS波形は不変だが，変行伝導を伴うと幅広いQRSとなる．
心室性期外収縮		幅広く，大きく異様なQRS波が正常のQRSの間に出現．TはQRSと逆向き．間入性と代償性がある．
右脚ブロック	V₁	幅広いQRS（0.12秒以上）．QRSの波形は，V₁近似誘導ではR波の分裂またはrsR，V₅近似誘導では幅広いS波をもつ．
左脚ブロック	V₅	幅広いQRS（0.12秒以上）．QRSの波形はV₁近似誘導ではQSまたはrS，V₅近似誘導ではQ波を欠く．QRSに"ひっかかり"を呈することもある．P-P，R-Rは正常．
I度房室ブロック		PQが0.2秒以上で一定．P-P，R-Rも規則的．
II度房室ブロック（モビッツI型）		PQ間隔が次第に延長し，QRSが欠落する周期を繰り返す（ウェンケバッハ型）．
II度房室ブロック（モビッツII型）		PQ間隔はほぼ一定のまま，突然QRSが欠落する．
III度(完全)房室ブロック		P-PとR-Rは別のリズム（30～60拍/分）で，それぞれは規則的．PQは全く不規則．
心房細動		P波がみられず，基線が不規則で，f波がみられる．時にf波もみられない．一般にR-R間隔不整（房室ブロックを伴うと整）．
洞停止洞房ブロック		1個ないし数個のP波が欠ける，この時QRSが欠落し，R-R間隔が延長する場合と，下位中枢からの補充収縮が出現する場合がある．
WPW症候群		PQ短縮（0.12秒以内），QRS幅増大，デルタ波を認める．頻拍発作（上室性）を起こしやすい．
心房粗動		のこぎり様（鋸歯状）のP波に似た波形（f波）が規則的に出現．R-Rは規則的なことも多いが不規則なこともある．
（発作性）上室性頻拍		正常の形のQRSが140回/分以上で，極めて規則的に出現．房室ブロックを伴うと不規則．突然始まり，突然戻る．P波を認識できないことも多い．変行伝導により，やや幅広いQRSとなることがある．
心室（性）頻拍		幅広いQRS（0.12秒以上）が140回/分以上で，P波とは無関係に出現．突然始まり，突然戻る．やや不整．
心室細動		P波，QRS，T波はなく，基線の不規則な揺れを認める．
ペースメーカー調律		ペースメーカーの刺激による尖鋭な振れがみられ，これにP波またはQRSが続く．QRSは幅広い（0.12秒以上）．

I. 症状からみた対処法

表2 不整脈の原因・予防・治療（　　　…緊急，　　　…要注意）

不整脈	主な生理的原因	主な病理的原因
洞性不整脈	健康人（特に小児，若年者）	急性疾患の回復期，頭蓋内圧亢進
洞性頻脈	運動，興奮，幼児，妊婦	急性心筋梗塞，心不全，心筋炎，甲状腺機能亢進症，貧血，発熱，感染
洞性徐脈	睡眠，スポーツ選手，高齢者，迷走神経刺激	急性心筋梗塞，sick sinus症候群，心筋炎，虚血性心疾患，甲状腺機能低下症，中枢神経疾患
上室性期外収縮	健康人，興奮，疲労，妊娠	心不全，虚血性・高血圧性心疾患，心臓弁膜症
心室性期外収縮	健康人，興奮，運動，迷走神経刺激後，妊娠	急性心筋梗塞，心不全，心筋症，心筋炎，虚血性・高血圧性心疾患，心臓弁膜症
右脚ブロック	交感神経緊張亢進，迷走神経緊張低下，リズム不整に伴うもの，健康人	先天性心疾患，心臓弁膜症，心筋症，虚血性心疾患，肺気腫，心不全
左脚ブロック	交感神経緊張亢進，迷走神経緊張低下，リズム不整に伴うもの，健康人では稀	虚血性心疾患・高血圧性心疾患，リウマチ性心疾患
Ⅰ度房室ブロック	迷走神経刺激，心房ペーシング，健康人	リウマチ熱，虚血性心疾患，急性心筋梗塞，心筋炎，先天性心疾患
Ⅱ度房室ブロック（モビッツⅠ型）	迷走神経刺激，心房ペーシング，薬物服用，健康人	先天性心疾患，虚血性心疾患，心筋炎
Ⅱ度房室ブロック（モビッツⅡ型）	なし	モビッツⅠ型と異なり，器質的心疾患を伴うことが多い．先天性心疾患，虚血性心疾患，心筋炎
Ⅲ度(完全)房室ブロック	頸動脈洞刺激（稀）	虚血性心疾患，急性心筋梗塞，先天性心疾患，心筋炎，心筋症，甲状腺機能低下または亢進症
心房細動	迷走神経刺激後，迷走神経緊張低下，加齢	先天性心疾患，心臓弁膜症，虚血性・高血圧性心疾患，急性心筋梗塞，甲状腺機能亢進症，心筋炎，WPW症候群，慢性閉塞性肺疾患
洞停止 洞房ブロック	頸動脈洞過敏症	sick sinus症候群，リウマチ熱，急性心筋梗塞
WPW症候群	健康人	先天性心疾患
心房粗動	迷走神経刺激後，迷走神経緊張低下，加齢	先天性心疾患，心臓弁膜症，虚血性・高血圧性心疾患，急性心筋梗塞，甲状腺機能亢進症，心筋炎，WPW症候群，慢性閉塞性肺疾患
(発作性)上室性頻拍	若年者，健康人	リウマチ性心疾患，虚血性・高血圧性心疾患，急性心筋梗塞，WPW症候群，甲状腺機能亢進症
心室(性)頻拍	心疾患のない場合には稀，迷走神経刺激，起立，興奮	急性心筋梗塞，虚血性心疾患，左室瘤，心筋炎，QT延長症候群
心室細動	なし	急性心筋梗塞，虚血性心疾患，心室頻拍症後，自律神経緊張，徐脈に伴うもの
ペースメーカー調律	なし	なし

主な対処法
洞調律（洞結節より発した興奮刺激が正常な刺激伝導路を介して伝達されている状態）ではあるが，そのリズムが一定しない状態．通常は経過観察をし，原因の除去，基礎疾患の治療を行う．
通常は経過観察をし，原因の除去，基礎疾患の治療を行う．「頻脈」の項（p.10）参照．
通常は経過観察をし，原因の除去，基礎疾患の治療を行う．「徐脈」の項（p.14）参照．
心房または房室接合部の異所性フォーカスからの興奮発生により収縮が起こる．基礎疾患の重症度にもよるが，心房細動を引き起こす可能性がある．通常は経過観察をし，原因の除去，基礎疾患の治療を行う．
器質的心疾患を有しない場合は，治療の必要がないことも多いが，多源性や回数が多い場合は，抗不整脈薬の投与を行う．原因の除去や基礎疾患の治療を行う．
健康人にみられることも多く，特に治療を必要としないが，基礎疾患の治療を行う．
通常は経過観察をし，基礎疾患の治療を行う．
特に治療を必要としない．
基礎疾患の治療を行う．症状のない限り経過観察．
ペースメーカー埋め込みが必要となることがある．
ペースメーカー植え込み術の適応である．
心房内の様々な部位の異所性フォーカスからの電気的な興奮刺激によって起こる．抗不整脈薬や強心薬を投与する．血栓を生じやすいので抗血栓療法を行う．失神，めまいを伴う場合は，ペースメーカーの適応となる．基礎疾患の治療を行う．
基礎疾患の治療を行う．それでも症状が消失しない時は，ペースメーカーの適応となる．
頻拍発作があればカテーテルアブレーション（電気的焼灼）を行う．抗不整脈薬を投与する．
心房内の様々な部位の異所性フォーカスからの電気的な興奮刺激によって起こる．抗不整脈薬や強心薬を投与する．血栓を生じやすいので抗血栓療法を行う．失神，めまいを伴う場合は，ペースメーカーの適応となる．基礎疾患の治療を行う．
一般に，予後は良好で，心室性頻拍と比べて危険性は低い．頸動脈洞圧迫，眼球圧迫，大きく息を吸ってから息を止める等，迷走神経を刺激することにより正常リズムに戻ることがある．基礎疾患の治療を行い，カテーテルアブレーション（電気的焼灼）をする．抗不整脈薬を投与する．難治の場合はペースメーカーの適応となる．
基礎疾患の積極的治療を行う．抗不整脈薬を投与する．植え込み型除細動器の適応である．
致死的不整脈なので，心室（性）頻拍と同様，即時に電気ショックを行う．
原疾患に対する注意が必要である．

Ⅰ．症状からみた対処法

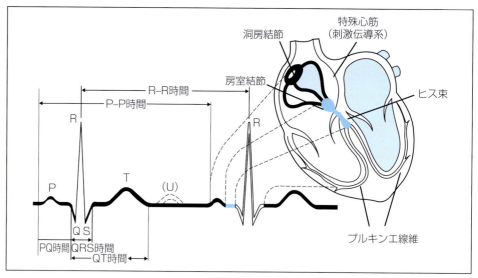

図1　心電図の基本波形

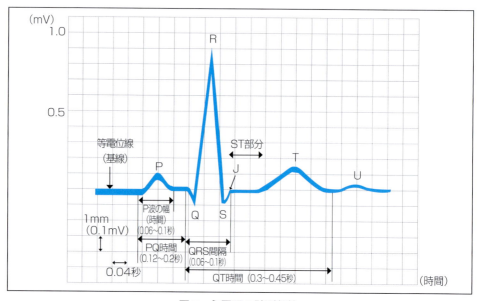

図2　心電図の計測部位

3）異常心電図の判別

　① 脈拍数をみる．

　② 調律をみる．P波はあるか．P波に続きQRSはあるか．P波以外の歩調取りの伝導系の部位は何か．

4）不整脈の種類の判別

5）虚血の徴候の判別

6）緊急度（致死的不整脈）の把握

7）その他の特徴的所見の把握

　　左室肥大，右室肥大，電解質異常による波形異常の有無を確認する．

表3　心電図波形のもつ意味

1. P波： 心房収縮	1) P波の変形：心房負荷 2) P波とQRSの数が重なる：房室解離，房室ブロック 3) P波消失：心房細動，心房粗動	
2. Q波	1) 深いQ波（特定の誘導で）：心筋壊死	
3. QRS： 心室収縮	1) 二相性：脚ブロック 2) QRS幅延長：心室収縮力低下（低温，冠血流量低下，代謝異常） 3) P波に先行されない幅広いQRSとQRSに反対方向のST segment：心室性不整脈，外因性・内因性カテコールアミン，血液ガス異常（酸素分圧低下，炭酸ガス分圧上昇または低下）電解質異常，反射性（迷走神経，心眼球反射），中枢神経刺激，基礎的心疾患 4) 心拍数100〜250回/分の整または不整リズムでP波と関係なくQRSは幅広い（0.12秒以上，1目盛0.04秒）：心室性不整脈 5) のこぎり様（鋸歯状）でQRSは明らかでなく不整：心室細動	
4. ST	1) 低下（1mm以上）：虚血心の疑い 　　（2mm以上）：明らかな虚血心 2) 上昇（1mm以上）：心筋障害，冠スパズム	
5. T波： 心室拡張期	1) 上昇：高カリウム 2) 逆転：心筋梗塞	

3. 心電図からわかる情報

表4に示す通りである．

4. 心電図モニタの誘導

一般臨床検査では，肢誘導（Ⅰ, Ⅱ, Ⅲ），単極肢誘導（aV$_R$, aV$_L$, aV$_F$），胸部誘導（V$_1$〜V$_6$）の標準12誘導で行われる．この12誘導で見出される虚血性変化の89%がV$_5$誘導で認められることから，心筋虚血を有していたり疑われる場合には，心電図モニタの電極の装着は，V$_5$を中心に近似誘導の単極，双極胸部誘導が適している．

特に，治療中のモニタとしては，双極胸部誘導の中で, CM$_5$（modified）誘導はV$_5$誘導（第5肋間左前腋窩線上，陽電極＋：黄色）と胸骨右縁（陰電極−：赤色）を利用するもので，心電図第Ⅱ誘導とV$_5$誘導に近似した波形が得られ，ST-T変化に敏感なことから歯科治療中には最適である（図3）．

また，衣服の関係で電極装着が胸部に不可能な場合，陽電極（＋：黄色）と陰電極（−：赤色）を両手首に装着し，不関電極は離れた部位の左右のいずれかの肘窩付近に装着してもある程度の判読は可能である．

表4　心電図からわかる情報

1. 心拍数
2. 不整脈，伝導障害（ブロック）の鑑別
3. 心筋の異常（心筋梗塞，狭心症，心筋炎，心筋症）
4. 薬剤の影響（ジギタリス，局所麻酔薬中のアドレナリン）等
5. 心房負荷・心室肥大
6. 心臓の位置，軸の変化
7. ペースメーカー機能の異常，電解質の影響等
8. その他

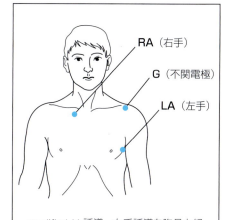

modified V$_5$誘導．右手誘導を胸骨右縁に，左手誘導をV$_5$誘導の位置に，不関電極を適当な位置に貼布する

図3　CM$_5$誘導

〈山口秀紀・見﨑　徹〉

I. 症状からみた対処法

6 胸痛や胸部不快感を訴えたら

　胸痛は，様々な原因により生じるが，歯科治療時の致死的偶発症のうち，最も危険なのが急性心筋梗塞である．

 原因

　胸痛をきたす全身疾患のうち，歯科治療時に特に注意しなければならないのは，**虚血性心疾患（狭心症や心筋梗塞）**である．歯科治療に対する不安や恐怖，疼痛，局所麻酔薬に添加されている血管収縮薬（アドレナリン）等により交感神経が興奮すると，脈拍数や心収縮力が増加し，さらに末梢血管の収縮により血圧が上昇したり，脈拍数が増加する．これによって心臓の仕事量が増すと，心筋の酸素需要量が著しく増加するため，心筋が酸素欠乏の状態，すなわち心筋虚血となり，胸痛を生じる（**図1**）．

　また，不安や恐怖等により過換気が誘発され，胸痛や胸部不快感が生じることもある（**過換気症候群：過呼吸発作**）．

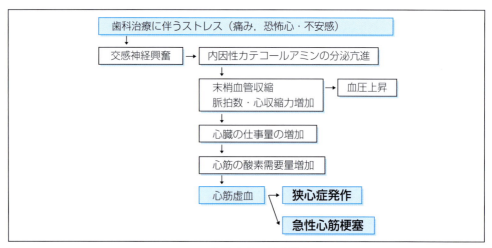

図1　心筋虚血の発生機序

 症状

　心筋虚血による胸痛は，前胸部の圧迫感や，締めつけられるような痛みと表現されることが多い（**表1**）．狭心症と急性心筋梗塞とでは胸痛発作の持続時間等が異なり，**狭心症**では数分以内であるのに対し，**心筋梗塞では30分以上痛みが持続する**．また，胸痛は前胸部から左上腕や頸部，下顎等に放散することもある（**図2**）．心筋梗塞の胸痛は激烈であり，顔面蒼白，発汗，悪心，嘔吐，呼吸困難を伴うことも多いが，狭心症では胸痛以外の症状を伴うことは稀である．

表1 狭心症と心筋梗塞の比較

	狭心症	心筋梗塞
痛み	胸骨下部の圧迫感,重圧感,締めつけられるような痛み	胸部を万力でつかまれたような,たとえようもない激しい痛み
放散の仕方	左上腕,頸部,下顎に放散	左上腕,頸部,下顎に放散
発作の誘因	労作,精神的ストレス	労作,精神的ストレスと無関係,睡眠中にも発症
安静の効果	2〜10分の安静で痛みは消失	安静にしても痛みは消失しない
ニトログリセリンの効果	舌下投与後1〜数分で痛みは消失	繰り返し舌下投与しても痛みは消失しない

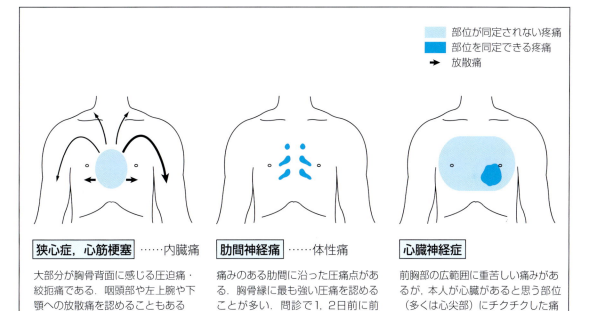

図2 疾患別にみた胸痛の部位

対処法（図3）

歯科治療中に胸痛や胸部不快感が生じたら，直ちに歯科治療を中止し，患者に声をかけて落ち着かせる．

119番通報し，酸素吸入（4〜6L/分）しながら胸痛の状況やバイタルサインを測定・記録し，**心筋虚血が疑われる場合は，ニトログリセリン舌下錠またはイソソルビド硝酸塩（ニトロール®）錠を舌下投与する**．

ニトログリセリン投与後3分経過しても胸痛が続く場合，3分ごとに1錠ずつ3回まで追加投与し，それでも発作が消失しない場合は，心筋梗塞が強く疑われる．**心筋梗塞の場合，ニトログリセリンは無効である**．直ちに救急車の出動を要請し，救急病院へ搬送する．さらに，鎮痛のため**モルヒネ塩酸塩** 4mg または**ブプレノルフィン** 0.2mg か**ペンタゾシン** 15mg を静脈注射したり，鎮静のため**ジアゼパム** 5〜15mg を静脈注射することもある．

心因性の場合は緊急性はないが，まず患者を落ち着かせることが大切である．**過換気症候群の場合，息ごらえ，またはゆっくり深呼吸をさせる**と，それだけで症状が改善することもある．過呼吸によって，二酸化炭素が過剰に排出された状態（呼吸性アルカローシス）なので，酸素吸入は無効である．薬物療法として**ジアゼパム** 5〜15mg を静脈注射か筋肉注射することもある．過換気症候群は繰り返すことが多いので，既往のある患者には特に注意して対応する．

いわゆる**心臓神経症**（ICD-10で身体表現性障害として分類している）は精神医学的にはパニック障害/パニック症（DSM-5）であり，まずは落ち着かせることが大切である．患者は過剰な訴えをする傾向が強いため，歯科医の方が慌てないようにする．対処として**ジアゼパム** 10mg を筋肉注射あるいは静脈注射することもある．薬物療法としては，習慣性のパニック発作に対してベンゾジアゼピン系抗不安薬（**アルプラゾラム**，**ロラゼパム**，**ジアゼパム**等）による内服療法が著効を示す．抑うつを伴う時は，SSRI（選択的セロトニン再取り込み阻害薬）や三環系抗うつ薬が処方される．一般的には，**恐怖心が強い場合は**，認知行動療法が可能な専門医に紹介する．

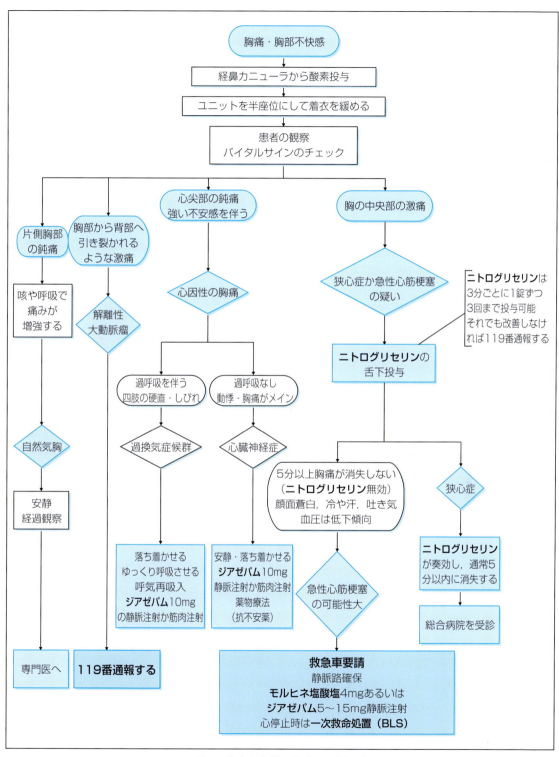

図3　胸痛や胸部不快感への対処法

I. 症状からみた対処法

 鑑別診断

胸痛発作中の心電図波形は，**狭心症ではSTの低下を示す（発作時のみ）** のに対し，**急性心筋梗塞ではSTの上昇を示す**（図4：時間が経つと異常Q波，冠性T波を示すようになる）．

心因性の胸痛の場合，心尖部にチクチクするような鈍痛を訴えるが，症状としては，強い不安からくる動悸，呼吸困難感が主である．過換気症候群の場合は，過呼吸・多呼吸や胸部不快感，四肢のしびれ感等がみられる．

 予防策

胸痛をきたす疾患は数多く存在するが，歯科治療中に胸痛を起こす場合，ほとんどが，精神的緊張や疼痛が誘因となって生じる．したがって，日頃からストレスができるだけ少ない環境下で歯科治療を行うように心がけることが大切である．

〔歯科治療時の注意点〕
（1）初診時に胸痛の原因となりうる基礎疾患や，家族歴の有無を聴取しておく．
（2）基礎疾患がある場合，現在どのような治療を受けているか，治療によりどの程度コントロールされているか，投薬の状況等を含めて，文書（診療情報提供書）でかかりつけの内科医に対診し，文書で返事を受け取っておく．
（3）虚血性心疾患，特に心筋梗塞等は，最後に発作が起きたのはいつであるかを確認する．心筋梗塞の場合，発作後6カ月以内であれば，歯科治療は応急処置に留める．
（4）治療前および治療中は生体情報モニタを装着し，バイタルサインの測定・記録を経時的（5～15分ごと）に行う．

・血圧，脈拍数
・モニタ心電図（STの低下が心筋虚血を示すため，虚血性心疾患の早期発見に有用である）
・経皮的動脈血酸素飽和度：SpO_2（パルスオキシメータ）
・RPP（Rate Pressure Product）（double product）＝脈拍数×最高血圧
　→一般に20,000以上になると冠状動脈の血流低下により心筋が酸素不足（心筋虚血）となり，狭心症や不整脈を発症しやすくなる．
　　高血圧や動脈硬化等の患者では12,000～15,000以上で心筋虚血を生じる可能性が高くなるため，歯科治療中はRPPを12,000以下に維持する．特に頻脈では危険性がより高くなる．

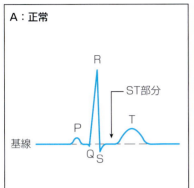
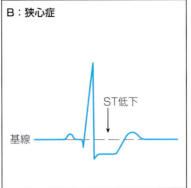
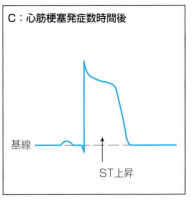

図4　心電図の波形

(5) 治療に伴う除痛処置を確実に行う．
　　局所麻酔を適切（無痛的に，確実に）に行う．アドレナリンを含まない**シタネスト-オクタプレシン®**を選択する場合，カートリッジ1〜2本とする．
(6) 治療時間
　　発作が起こりやすい午前中，特に月曜日は避け，午後に診療を行うようにする．治療時間はできるだけ短くする．
(7) 亜酸化窒素（笑気）吸入鎮静法（静脈内鎮静法）を併用して精神的ストレスを軽減するのは有用である．
(8) 虚血性心疾患の患者に対して，歯科治療で応急処置を必要とする場合，硝酸薬を事前に予防投与しておく．方法としては**ニトログリセリン・硝酸イソソルビド錠**等の舌下投与（術前3〜5分前）をする．**フランドルテープ**等の皮下吸収型のテープ剤は，術前約2時間前から貼付しておく．処置後は必ず大学病院や総合病院歯科に対診する．
　　上記の処置は一般的ではなく，緊急時の応急処置で行われる方法である．

〈見﨑　徹・小川洋二郎〉

Ⅰ. 症状からみた対処法

7 患者の応答が鈍くなってきたら（意識レベルの低下・意識喪失）

意識障害（喪失）とは，生命に直接関わることもある重篤な病態．

原因

血管迷走神経反射（脳貧血），過換気症候群（過呼吸発作），ヒステリー発作等から，既存の内科疾患の急性増悪や，時に脳血管の破綻等，極めて緊急性を要する場合もある．（表1，2）

症状

1. 意識レベルの把握
1) **清明**：正常な意識状態
2) **傾眠**：刺激で覚醒するが刺激がなくなると眠ってしまう
3) **昏迷**：種々の刺激に反応し，これを避けようとする動作をする．刺激を続けると簡単な指示や質問には応じる
4) **半昏睡**：疼痛刺激には逃避反応を示すが，自発運動はほとんどない．糞尿失禁を認める
5) **昏睡**：自発運動は全くない．糞尿失禁を認める
6) **せん妄**：意識混濁に興奮・不安・恐怖等が加わり，錯覚や幻覚が出現する
7) **錯乱**：多弁で興奮して全く意味をなさない状態

2. 意識レベルの判定
様々な意識レベルの判定方法があるが，Japan Coma Scale（JCS，表3）が最も一般的に用いられている．
　記載例：JCS＝100 等

表1 意識障害の鑑別疾患 AIUEOTIPS（アイウエオチップス）

A	Alcoholism Acidosis	アルコール中毒，代謝性アシドーシス
	Aortic dissection	大動脈解離
I	Insulin（hypo/hyper-glycemia）	低/高血糖
U	Uremia	尿毒症
E	Encephalopathy（hypertensive, hepatic）	高血圧性脳症，肝性脳症
	Endocrinopathy（adrenal, thyroid）	内分泌疾患
	Electrolytes（hypo/hyper-Na, K.Ca, Mg）	電解質異常
O	Opiate or other overdose	薬物中毒
	decreased O_2（hypoxia, CO intoxication）	低酸素，一酸化炭素中毒
T	Trauma	外傷
	Temperature（hypo/hyper）	低/高体温
I	Infection（CNS, sepsis, pulmonary）	感染症
P	Psychogenic	精神疾患
S	Seizure, Syncope, Stroke	てんかん発作，血圧低下，脳血管障害（脳梗塞，脳卒中，くも膜下出血）
	Shock	ショック

表2 脳血管障害鑑別のポイント

診断名	くも膜下出血	脳梗塞	脳内出血
意識レベルの低下	弱い	中程度	強い
髄膜刺激症状（頭痛，嘔吐，けいれん）	きわめて強い	なし	強い
巣症状（意識障害，片麻痺）	なし	あり	強い

表3 Japan Coma Scale（JCS）（3-3-9度方式）

覚醒している	1：だいたい意識清明だが，今ひとつはっきりしない 2：見当識障害（時，場所，人）がある 3：自分の名前，生年月日がいえない
刺激で覚醒する	10：普通の呼びかけで，容易に開眼する 20：大きな声，または身体を揺さぶることにより開眼する 30：痛み刺激を加えつつ呼びかけを繰り返すと，かろうじて開眼する
刺激しても覚醒しない	100：痛み刺激を払いのける動作をする 200：痛み刺激で少し手足を動かしたり，顔をしかめる 300：痛み刺激に全く反応せず

R：Restlessness　不穏
I：Incontinence　失禁
A：Apallic state　無欲状態

例えば，「10 R」のように記載する

I. 症状からみた対処法

 対処法

1. バイタルサインの確認

気道の確保および酸素投与を最優先し，奇異呼吸の有無の確認とともに，酸素投与を行いながらバイタルサインをチェックする．水平仰臥位が基本であるが，口腔内に嘔吐物等がある時は側臥位（昏睡体位）にする．①呼吸，②脈拍，③血圧，④体温等の測定・記録とともに心電図等のモニタリングを行う．

2. 意識障害の確認手順（図1）

患者との会話をしながらの歯科治療は，最も優れた意識レベルの確認方法である．

1）呼びかけ刺激と反応

「痛いですか？」，「口を開けて（閉じて）」，「舌を出して」，「頭を上げて」，「手を握って」等の指示に言葉で反応するか，動作で反応するかを確認する．さらに，客観的判断項目の質問「7シリーズ（100から順に7を引かせる）の暗算」，「名前，日付，場所」による確認方法等も有用である．

2）痛み刺激と反応

眼窩上縁内側部，頸切痕（経穴：天突）部の圧迫と刺激（咳の誘発），頰部を叩く，つねる等の痛み刺激を加える．これらに反応する時は比較的良好である．

3）昏睡時の病巣と主要症候（図2）

除皮質姿勢（肢位），除脳姿勢（肢位），全身硬直の時は脳幹部の破綻の可能性があり緊急を要するので119番通報して，専門医への搬送を急ぐ．

4）血圧・脈拍数

（1）頭蓋内圧亢進では血圧上昇，徐脈がみられる．
（2）呼吸・循環不全や薬物中毒等の代謝性脳障害では血圧低下，頻脈がみられる．

> **ポイント**
>
> **アームドロップテスト（上肢落下テスト）による昏睡の鑑別**
>
> 患者が呼吸困難感を訴え，刺激しても（あえて）開眼せず，意識レベルが低下したか判断に苦慮した時，バイタルサインに異常がなければ，患者の手を患者自身の顔の前（水平位では上方）に上げて，落とす．この時，患者自身で自己の顔を叩くのを避ける動作を認めたらヒステリーである．

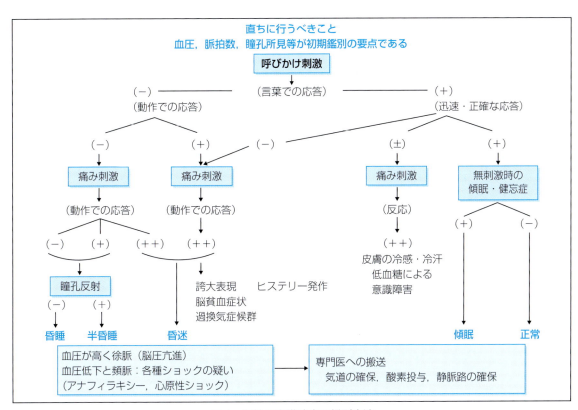

図1 急性の意識障害の鑑別方法

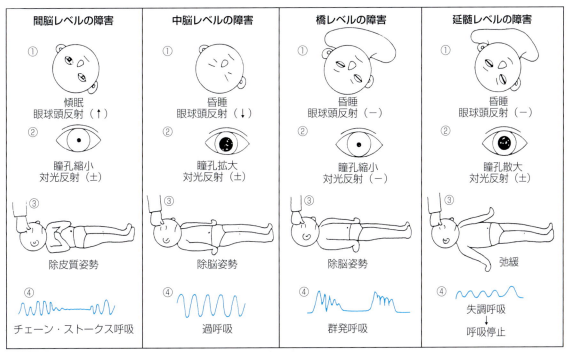

図2 昏睡における病巣と主要症候 (医学のあゆみ編集委員会編, 1996[5])

〈渋谷 鑛〉

I．症状からみた対処法

8　頭痛を訴えたら

原因

歯科医が知っておかなければならないのは，以下の通りである．
1. 生命に関わる**くも膜下出血**による頭痛
2. 歯科治療中に起こる**高血圧性脳症**による頭痛
3. **歯痛，副鼻腔炎（上顎洞炎），顎関節症等**歯科領域に起因する頭痛

内科的診断を**図1**に示す．

症状

1．くも膜下出血（突発ピーク型）

くも膜下出血の特徴は，突然ピーク型の頭痛が発症する．突然，頭がガーンと痛くなり，瞬時にしてピークに達する．他の疾患でも激しい疼痛は起こるが，瞬時にしてピークに達するのは，意識障害や神経症状の有無に関係なく，くも膜下出血だけである．神経症状がなく頭痛だけがみられることも多い．後頭部が突っ張り，屈曲できない．

「朝起きたら何となく頭が重く，歯科医院へ着いたら頭痛がし始め，自分の名前を呼ばれたらがんがん痛くなり，嘔吐した」．これは，強い痛みではあるが，時間の経過からくも膜下出血ではなく，片頭痛か心因性の頭痛である場合が多い．

2．高血圧性脳症

歯科治療が痛みを伴い，患者が不安を募らせて，血圧・脈拍に与える影響が大きい時，高血圧性脳症による頭痛を訴える可能性がある．単なる高血圧による頭痛と異なり，意識障害，けいれん等を伴い，直ちに積極的な降圧処置が必要となる．

高血圧性脳症の詳細は，**「血圧が急激に上昇したら」（p.2）**を参照されたい．

3．副鼻腔炎

1）急性副鼻腔炎

急性副鼻腔炎で頭痛は最も重要な症状である．時間帯に関係なく，目覚めた時から頭痛がすることもある．身体を傾斜させると頭痛が増強し，ハンマーで殴られたようにズキンズキンと痛むこともある．

2）慢性副鼻腔炎

慢性副鼻腔炎は痛みが弱い．そもそも副鼻腔は痛みには比較的鈍感である．他に原因のない頭痛に対して，原因が慢性不顕性副鼻腔炎であると考えるのは誤りである．ただし，慢性副鼻腔炎の急性増悪時には頭痛を認めることがある．

"痛みの性質"からみた頭痛の鑑別を**表1**に，頭痛の起こり方と経過による鑑別を**表2**および**図1**に，頭痛の分類を**表3**にそれぞれ示す．

表1 "痛みの性質"からみた頭痛の鑑別（国際頭痛学会 他訳, 2019[6])）

1. 拍動性
   片頭痛①，群発頭痛③，血管痛⑥，動静脈奇形⑥，高血圧性頭痛⑩
2. 圧迫性，絞扼性，被帽感（きつい帽子を被った感覚）
   緊張型頭痛②，眼精疲労⑪，副鼻腔炎⑪，頸椎疾患⑪
3. "ズキズキ"，"うずくような"痛み
   急性髄膜炎⑨，脳腫瘍⑦
4. "割れるような"痛み
   くも膜下出血⑥，緑内障⑪
5. "刺すような"，"焼けるような"痛み
   三叉神経痛⑬，舌咽神経痛⑬

＊丸数字は表3に対応

表2 頭痛の起こり方（国際頭痛学会 他訳, 2019[6])）

1. 急性の激しい頭痛
   くも膜下出血⑥，小脳出血⑥，化膿性髄膜炎⑨，緑内障⑪，高血圧性脳症⑩
2. 一過性頭痛
   発熱⑩，急性アルコール中毒⑧，一酸化炭素中毒⑧
3. 亜急性の進行性頭痛
   脳腫瘍⑦，慢性硬膜下血腫⑥，亜急性髄膜炎⑨，副鼻腔炎⑪，中耳炎⑪，側頭動脈炎⑥
4. 慢性の頭痛
   反復性：群発頭痛③，高血圧性頭痛⑩，
   　　　　慢性呼吸器疾患に伴う頭痛⑩
   　　　　てんかん代理症としての頭痛⑦
   持続性：緊張型頭痛②，心因性頭痛⑫，眼精疲労⑪，
   　　　　慢性副鼻腔炎⑪，頸椎疾患⑪

＊丸数字は表3に対応

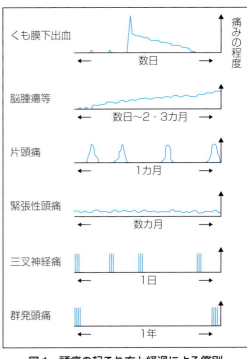

図1 頭痛の起こり方と経過による鑑別

表3 国際頭痛学会の頭痛分類（大分類）（国際頭痛学会 他訳, 2019[6])）

一次性頭痛 （検査をしても原因となる異常が見つからない慢性タイプ．全体の9割）	①片頭痛 ②緊張型頭痛 ③三叉神経・自律神経性頭痛（TACs） ④その他の一次性頭痛疾患
二次性頭痛 （くも膜下出血や脳腫瘍等，重い病気が原因．治療が遅れると生命に関わることもある）	⑤頭頸部外傷・傷害による頭痛 ⑥頭頸部血管障害による頭痛 ⑦非血管性頭蓋内疾患による頭痛 ⑧物質またはその離脱による頭痛 ⑨感染症による頭痛 ⑩ホメオスターシス障害による頭痛 ⑪頭蓋骨，頸，眼，耳，鼻，副鼻腔，歯，口あるいはその他の顔面・頸部の構成組織の障害による頭痛あるいは顔面痛 ⑫精神疾患による頭痛
有痛性脳神経ニューロパチー，他の顔面痛および他の頭痛	⑬有痛性脳神経ニューロパチーおよび他の顔面痛 ⑭その他の頭痛性疾患

参考：上顎洞（副鼻腔），歯，顎関節に由来する頭痛は，概ね⑪に分類される．しかし，顎関節症は「関節性顎関節症」に限る．これは②緊張型頭痛に咀嚼筋障害が含まれ，「筋性顎関節症」と区別している

I. 症状からみた対処法

 頭痛の大まかな診断

①以下の1つでもあてはまれば，緊急性のある頭痛．救急車で脳神経外科へ
- 突然今までに経験したことのない激しい頭痛
- 意識障害
- 運動障害
    - 顔面下垂：歯をみせたり，笑ったりするよう指示
        - ⇒顔面の片側が反対側と比べて動きが悪い
    - 上肢の脱力：目を閉じ，手のひらを上にして両手をまっすぐ前に出し，10秒間その状態を保持する
        - ⇒片方の腕が動かないか，他方の腕より下がる
- 言語障害：発語が不明瞭であったり，間違った言葉を使う．話せない

②以下の1つでもあてはまれば，片頭痛の疑い．脳神経科へ
- 拍動性の頭痛
- 嘔気，嘔吐を伴う
- 入浴，光，音等で症状悪化

③以下の1つでもあてはまれば，脳腫瘍，群発頭痛，神経痛の疑い．脳神経科へ
- 眼の充血，眼の奥をえぐられたような強い痛み
- 頭を動かすとズキンと鋭い痛みが走る
- 頭痛が起こる回数と程度が増す．頭痛薬の効果がない

④以下の1つでもあてはまれば，緊張性頭痛の疑い．日常生活を改善
- 毎日，後頭部や頭全体が締めつけられるように痛い
- 肩こり，目の疲れを伴う
- 入浴で頭痛軽快

COLUMN

rt-PA：アルテプラーゼ（alteplase）静注療法

プラスミノーゲンを活性化することでフィブリンを分解させる．血栓溶解剤として脳梗塞の治療に使われる．2005年10月から保険適応された．

血流が長時間途絶えると末梢の血管は脆弱となり，血栓溶解法で血流再開後，血管が破れる危険がある．発症後3時間以内が適応であった．

適応症例は1.8～5.2%とごく少数に過ぎず最も大きな要因は，3時間以内という時間の制約だった．2012年8月から4.5時間へ拡大され，さらに2019年，発症時刻が不明な時でもMRIのFLAIR画像で虚血性変化が著名でない症例では使用を検討することとなった．しかし，大切なのはこの治療法が適応時間内に行えばよい治療ではなく，"早ければ早いほど良い治療"ということである．

脳梗塞では多くの場合，血管が閉塞した瞬間に脳障害が完成するわけではなく，発症から脳の完全な障害までには数時間の時間差がある．少しでも早く治療を開始して血流再開を早めることで，脳のダメージをより少なくすることが可能となる．

検査や準備に1時間程度要すことを鑑み，発症後3.5時間以内に病院に到着する必要があり，神経症状を伴う頭痛では救急車の要請を躊躇してはならない．

対処法

歯科疾患に伴う頭痛，および歯科診療中に患者が頭痛を訴えた時の症状に対する診断と対応を**図2**に示す．

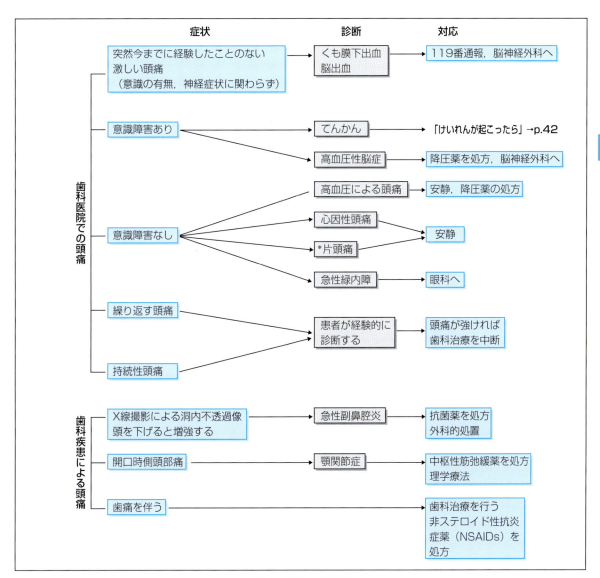

図2　頭痛への対応

＊**片頭痛**は予防の時代へ！

片頭痛は血管拡張作用のあるカルシトニン遺伝子関連ペプチド（CGRP）が原因物質である．抗CGRP抗体のガルカネズマブ「エムガルティ」およびフレマネズマブ「アジョビ」と抗CGRP受容体抗体エレヌマブ「アイモビーグ」が2021年から使用され，効果をあげている．

〈卯田昭夫〉

9 吐き気を訴えたり，嘔吐したら

全身疾患の一つの症状として現れることも多いので要注意．

原因

歯科治療中の切削片（粉）や血液，粘稠性の唾液等の咽頭部刺激，不適切な器具操作，印象材による刺激等も吐き気や嘔吐を誘発する．また，口呼吸患者がエアタービン等の注水による水分を大量に飲み込み，嘔吐することや，小児が激しい咳によって腹圧が上昇し，解剖学的理由等から嘔吐（咳き上げ）することもある．さらに，歯科治療に対し極度の緊張感を抱く患者では，これらの刺激がなくても吐き気を催し（異常絞扼反射），精神鎮静法や全身麻酔の適応となることもある．

機序（図1）

① 消化器・腹膜疾患・心疾患・泌尿生殖器疾患等が迷走神経，内臓神経を介して嘔吐中枢を刺激する
　・胃腸疾患，肝疾患，胆囊・胆道疾患，膵臓疾患，腹膜炎等
　・狭心症，心筋梗塞，うっ血性心不全等
　・腎疾患，尿路疾患，膀胱疾患，子宮・卵管・卵巣疾患等
② 脳圧亢進・循環障害が直接，嘔吐中枢を刺激する
　・脳腫瘍，脳出血，くも膜下出血，髄膜炎，脳虚血発作等
③ 内耳または咽頭粘膜刺激が嘔吐中枢を刺激する
　・メニエール病，中耳炎，内耳炎，動揺病（乗りもの酔い）等
④ 大脳皮質を介する刺激が嘔吐中枢を刺激する
　・ヒステリー，ノイローゼ，精神的ストレス等
　・視覚，聴覚，臭覚，味覚，痛覚等
⑤ 血液中の化学物質（催吐物質）が化学受容体トリガーゾーンを介して嘔吐中枢を刺激する
　・尿毒症，糖尿病性ケトアシドーシス（糖尿病性昏睡），肝不全，妊娠悪阻（つわり）等
　・ジギタリス，ニコチン，アドレナリン，モルヒネ，抗がん剤等の薬物
　・食中毒，急性感染症における細菌毒素，重金属・有機物中毒，貧血等

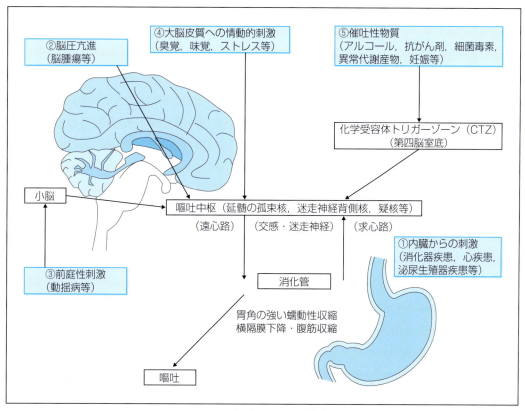

図1 吐き気・嘔吐の機序

　嘔吐は，主に胃の内容物（一部，十二指腸や小腸の内容物）が口腔を経て排出される現象で，通常，吐き気（悪心）を伴う．吐き気や嘔吐は，①〜⑤の刺激を受けた嘔吐中枢から遠心性の興奮が消化管や腹部の筋肉の急激な収縮・弛緩をもたらし，生じる．

　末梢神経を介した①が原因の嘔吐を反射性嘔吐，②③⑤が原因の嘔吐を中枢性嘔吐，心因性の④が原因の嘔吐を精神性嘔吐という．

　吐き気を伴わない嘔吐は吐逆（とぎゃく）といわれ，脳腫瘍，脳出血等，脳の異常が原因となっている場合がある．

Ⅰ. 症状からみた対処法

 症状と対処法

　歯科治療中に吐き気を訴えたり，嘔吐した時に疑われる疾患と対応は，**図2**の通りである．

　意識障害を伴う，あるいは意識清明であっても激しい頭痛，胸痛を伴う時は，直ちに専門医へ搬送する．

　一般的に，繰り返す嘔吐は脱水，栄養不足，電解質異常を招き，全身状態を悪化させるので，早急に受診を勧める．若い女性では妊娠による悪阻で嘔吐を繰り返しながら，妊娠に気づいていないことがあるので，胎児への影響を考慮し，服薬やX線検査の前に妊娠反応検査を勧める．

　小児の嘔吐は消化管機能の未発達や先天異常等が原因で，症状や吐物が特有である．ぐったりする，うとうとする，ぼんやりする等の全身状態を伴う嘔吐では早急に専門医を受診させるべきである．

　嘔吐が起こったら，食物摂取の時間，吐物の性状（消化具合，血液混入の有無，臭い等）を観察しておく（携帯電話等での写真撮影が有用）．

予防策

　歯科治療による咽頭部への刺激が原因（**図1の③**）であれば，ラバーダムシートの応用，咽頭部への表面麻酔の使用を試みる．

　精神的緊張（歯科治療恐怖症）による異常絞扼反射が原因（**図1の④**）であれば，精神鎮静法（特に静脈内鎮静法）が有効であるが，全身麻酔の適応となることもある．

　その他，満腹時を避ける．座位で顎を引いて治療する．印象剤は硬めに練る等の配慮や，口を大きくあけて鼻呼吸の練習を日頃行ってもらう等も有効である．

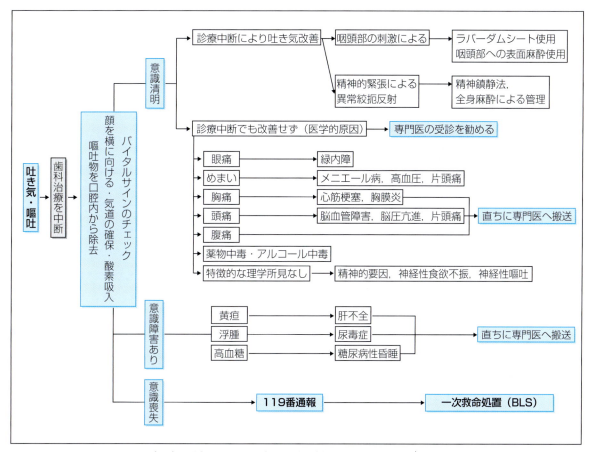

図2　吐き気を訴えたり，嘔吐した時の対応（西福 他，1996[7]）を一部改変）

〈卯田昭夫〉

I. 症状からみた対処法

10 けいれんが起こったら

けいれん（痙攣）とは‥‥急激かつ発作性に全身または一部の骨格筋の収縮に伴う不随意運動．

原因（表1）

歯科治療中のストレス等により，てんかん発作を誘発したり，ヒステリー，過換気症候群，脳貧血（様）発作，あるいは低血糖の一症状等としてけいれんを認めることがある．

てんかんは，大脳神経細胞の過剰発射に由来する反復性発作（てんかん発作）を主徴とする，種々の成因によってもたらされる脳神経疾患である．

表1　けいれんの原因

限局性脳障害	1. 局所性脳萎縮：周産期障害，先天奇形等 2. 占拠性病変：脳腫瘍，脳膿瘍，硬膜下血種等 3. 血管障害：皮質性静脈血栓，くも膜下出血，脳塞栓症，脳内出血，高血圧性脳症，動静脈奇形，脳血栓症等
びまん性脳障害	1. 代謝異常：低血糖症，電解質異常，尿毒症，甲状腺機能低下症，肝性脳症等 2. 感染症：脳炎，髄膜炎等 3. 先天性代謝異常：フェニルケトン尿症等
脳外傷	穿通性脳外傷，外傷後てんかん等
循環－呼吸不全	低酸素血症，アダムス・ストークス症候群，心筋梗塞，失神等
薬物離脱	アルコール（飲酒中止後 12〜48 時間で起こる），鎮静薬等
熱性けいれん	発熱時に起こる局在性のない全身けいれん，発作のない時は神経学的にも脳波上も正常

症状

突然，歯科治療ユニットを揺らすような全身性のけいれんを認めたら，てんかん発作である可能性が高い．その場に居合わせた歯科医院のスタッフには長く感じられるものだが，実際には1〜3分で治まることがほとんどである．119番通報をする前に，酸素吸入しながら経過観察し，5分以上持続するようであれば119番通報および抗けいれん薬の投与を考える．

けいれんの症候学的分類は**表2**の通りである．

表2 けいれんの症候学的分類

てんかん性けいれん	1. 特発性てんかん 　てんかん発作のうち原因不明のもの．主として全身発作 2. 症候性てんかん 　原因の明らかな疾患（脳腫瘍，脳卒中等）によるもの．主として部分発作
顎顔面領域にみられる非てんかん性けいれん（けいれんと称される不随意運動）	1. スパスム 　筋肉あるいは末梢神経障害によって生じる筋収縮 　1）顔面けいれん：血管や腫瘍等による顔面神経の機械的圧迫や，顔面神経の炎症等のために出現する眼輪筋や口輪筋の間代性スパスム．通常は片側性で進行すると強直性となる 　2）眼瞼けいれん：眼輪筋の間代性または強直性の筋収縮 　3）テタヌス：破傷風菌外毒素による激しい強直性スパスム．脊髄障害による背筋，肋間筋，四肢筋の強直性スパスム（頭部後屈，後弓反射）と，脳幹障害による咬筋のスパスム（開口障害）が出現する 　4）テタニー：低カルシウム血症，低マグネシウム血症による四肢遠位部の末梢神経性強直性けいれん．助産婦様の手，過換気症候群では感覚異常を伴う 2. 口蓋ミオクローヌス 　軟口蓋および口蓋帆の律動的な収縮運動で，軟口蓋が繰り返し上下に動く不随意運動 　規則性があり，あまり速くない点が他のミオクローヌスと異なる 　同側の小脳歯状核，反対側の中脳赤核，下オリーブ核の3つを結ぶGuillain-Mollaret triangleの中心被蓋路の障害が原因 3. チック 　顔，肩，頸部の1つあるいはいくつかの筋肉で起こる短くて速い筋収縮 　就学前後から学童期の男子に多い 　精神的緊張で増強する 　意識的に一時抑制することができる 　症状の指摘は禁忌←気にしすぎて遷延化する 　睡眠中にはみられず神経学的異常はない 　1年以内に改善することが多い 4. オーラルジスキネジア 　舌，口唇を中心とする不随意運動．いわゆる"くちびるぺろぺろ"状態（口部自動症） 　抗パーキンソン病薬である**レボドパ**（ドーパミンの前駆体）や**トリヘキシフェニジル塩酸塩**（抗コリン薬，**アーテン**®）の副作用として現れる 　**クロルプロマジン塩酸塩**（フェノチアジン系抗精神病薬，**ウインタミン**®）や**ハロペリドール**（ブチロフェノン系抗精神病薬，セレネース®）等の抗精神病薬を数カ月以上長期間服用すると，その副作用で遅発性ジスキネジアとして口周囲および四肢の不随意運動を認めることがある．服用を中止しても不随意運動が続くことがある 　高齢者では特発性（原因不明）のものも稀ではない

> **ポイント**
>
> ### てんかんに伴う「けいれん」への対応
>
> 　てんかんの本体は脳波異常であり，必ずしもけいれんを伴わない．
> 　けいれんがみられたら，まず患者の衣服を緩め，患者がユニットから落ちたり，頭をぶつけないように気をつける．次に，口の中に食べ物がある場合には，顔を横に向けて食べ物がのどにつまらないように除去する．口の中にタオル等は入れない．けいれん時には顔色が悪くなるが，止まれば顔色は戻ってくるので，慌てないことが大切である．酸素吸入も回復を早める一助となる．

対処法

けいれんの対処法は**図1**の通りである.

予防策

1. てんかん等のけいれんの既往がある場合

問診による病歴と現症の聴取が重要である.ただし,聴取できないこともあるので注意する.

1) 既往歴を重視:発熱を含め,明らかな誘因のないけいれん発作(非誘発性けいれん)を経験した小児の2年以内の再発生率は,頭部CT,MRI,血液検査(電解質,血糖値等),脳波検査で全く異常がないグループで28%,てんかん性脳波異常のあったグループでは60%,熱性けいれんの既往があり,さらに非誘発性けいれんを経験したグループでは85%にも達する[8]
2) 服薬状況:薬の種類や量に変更がある時は注意する
3) 発作の様子(病型),誘因,発作時の対処法を本人および家族から聞いておき,誘因となるものを避け,できる範囲の対処法はあらかじめ準備しておく

2. 歯科治療中に起こるけいれん

けいれん閾値を下げる状態(低血糖,発熱,疼痛)を避ける.

1) 食事の時間に配慮し,低血糖時の治療を避ける
2) 患者(児)の頬部に熱感を感じたら,その日の治療内容を再検討する
3) 精神鎮静法や十分な除痛をはかることにより,不安・緊張・疼痛を与えないように心がける

ポイント

小児のけいれん
(1) 小児はけいれんを起こしやすい
　　10人に1人は小児期に何らかのけいれんを経験している
(2) 脳の未熟性による
(3) 脳以外の原因でも起こる
　　低血糖等

(4) 熱性けいれん
　①頻度は一般人口の5～10%
　②直腸温で38.5℃以上の発熱
　③素因が重要(しばしば家族性)
　④発作は生後6カ月から2歳までに初発
　⑤発作型は大発作型,時間は15分以内
　⑥発作の原因として,上気道炎等の感染が多い

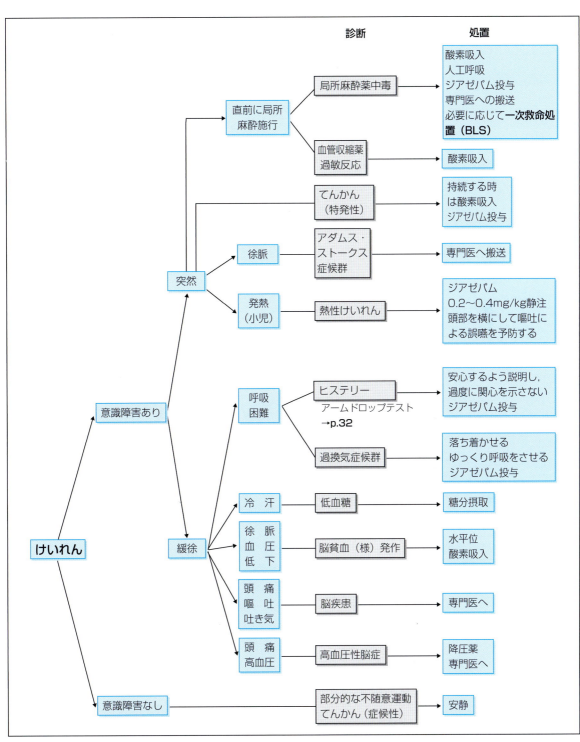

図1 けいれんの対処法

〈卯田昭夫〉

I. 症状からみた対処法

11 手足のしびれ・麻痺がみられたら

しびれは，知覚がなくなる，鈍くなる，びりびりする等の症状をいい，知覚障害とよばれる．運動障害を伴うことも多く，両者を含め麻痺とよぶ．

原因

① 脳＊：脳梗塞，脳出血，一過性脳虚血発作等
② 脊髄＊＊：変形性脊椎症，椎間板ヘルニア，脊柱管狭窄症，頸椎後縦靭帯骨化症等
③ 末梢神経：胸郭出口症候群，橈骨神経損傷，手根管症候群（正中神経損傷），肘部管症候群（尺骨神経損傷），坐骨神経痛，足根管症候群（足底神経損傷），外反拇指等
④ 末梢循環，代謝性疾患による末梢神経障害：閉塞性動脈硬化症，静脈血栓症，糖尿病，薬物中毒，アルコール多飲，多発神経炎（ニューロパチー）等
⑤ その他：過換気症候群，神経・血管の圧迫，内臓疾患（狭心症，心筋梗塞，肺疾患，胆石症）等

＊**一過性脳虚血発作**は一時的に脳への血流が悪くなり，発作的に**手足がしびれる**ことがある．発作は数分から数時間で終わってしまうが，脳梗塞の前ぶれであり，精密検査の必要がある．

＊＊老化現象として**椎間板**が後ろや横に飛び出す**ヘルニア**や骨自体に**骨棘**という骨の飛び出しができる．これらが脊髄（**頸椎症性脊髄症**），あるいは首の骨の横を通る神経根を圧迫（**頸椎症性神経根症**）．その結果，**手足がしびれる**．初め（軽症）は手足のしびれ，痛みだが，次第に足の力が抜け，歩行困難となる．

★脳や脊椎に原因があり，広範囲にしびれ，麻痺が出現する際の初期症状あるいは軽症として手・足のしびれ，麻痺が出現することがあるので注意を要す．

手足のしびれの原因

1. 手のしびれ

・手根管症候群
　小指以外の手の指がしびれる．手を振るとしびれが治ることも少なくない．
　就眠中でも目が覚める．朝が多い．
　40〜60歳の女性，妊娠中や出産後．
　機序：手関節の骨とその掌側を走る正中神経が圧迫されて手のしびれが出現する．手の過度の使用，屈筋腱腱鞘炎，糖尿病，甲状腺疾患，妊娠の浮腫，橈骨・手の骨折後の変形．
・肘部管症候群
・ギヨン管症候群
・尺骨神経障害

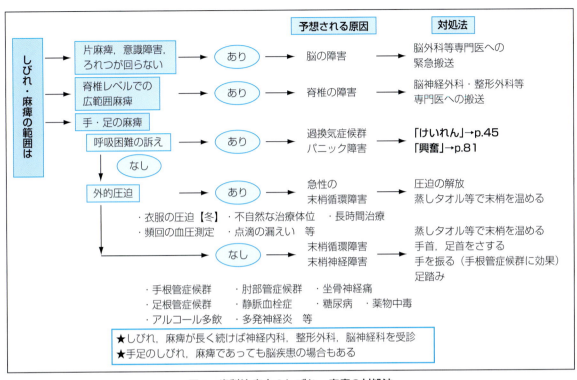

図1 歯科治療中のしびれ，麻痺の対処法

2. 足のしびれ

腰椎の病気：足の知覚神経は腰を通って脳に通じる
- 坐骨神経痛
  症状：踵，ふくらはぎ，太ももの後ろにしびれや痛み
  原因：腰椎椎間板ヘルニア，腰部脊柱管狭窄症，腰椎すべり症
- 外反母趾：骨棘ができ，足指神経を圧迫

対処法

しびれ，麻痺の対処法は**図1**の通りである．

COLUMN

知覚過敏，錯知覚（錯感覚）

皮膚に触れた毛筆の感覚を痛みと感じる等，外部の刺激を過敏に感じる．正座の後の足のしびれもこの一種．運動神経より感覚神経の方が圧迫に弱く，多くが先に感覚異常，その後，運動障害が起こる．歩けるのに床に触れるとピリピリしてしまう．

〈卯田昭夫〉

Ⅰ. 症状からみた対処法

12 呼吸の異常がみられたら
（呼吸困難，窒息感，呼吸抑制）

呼吸困難とは‥‥努力して呼吸しなければならない状態を指し，窒息感と同様に苦痛や不快感を伴う．

呼吸抑制とは‥‥何らかの原因で，呼吸回数や1回換気量が減少すること．

 原因

歯科治療時に突発的に起こる呼吸困難は，直前に行っていた処置との関連から，原因を推察することができる（表1）．肺炎・胸膜炎・結核・肺がん等でも呼吸困難は出現するが，慢性の経過をたどることが多く，歯科治療時に突発的に症状が発症することは少ない．

歯科において呼吸が弱くなるのは，静脈内鎮静法での薬剤の影響（ジアゼパム，フルニトラゼパム，ミダゾラム，プロポフォール等）が考えられる．薬剤がある程度代謝・不活化されるまでは薬剤効果が持続し，鎮静作用に付随して呼吸抑制が発生しやすい．

薬剤以外で呼吸抑制が発生する可能性として，**頭部外傷，くも膜下出血，脳出血，脳梗塞**等の中枢性の器質的障害が考えられる（図1）．また，**異物や舌根沈下による気道閉塞**の場合にも急激に呼吸が弱くなる．

表1 歯科治療時における呼吸困難の原因

補綴装置・充塡物・歯等異物の口腔内落下直後	上気道閉塞・気管内異物
印象採得時	
形成・咬合調整時等口腔内の水分・血液貯留時	誤嚥
薬剤投与直後	アナフィラキシー
痛みを伴う処置直後	疼痛性ショック・過換気症候群
処置とは関係なく，突発的に起きた場合	気胸・気管支喘息・肺塞栓・心筋梗塞・過換気症候群

（中野 他：2000[9]）

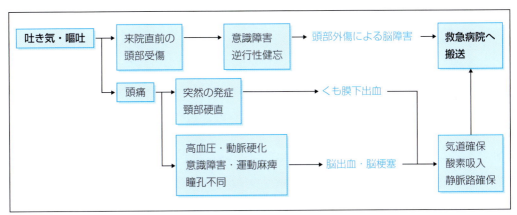

図1 呼吸が弱くなる原因として考えられること

症状

チェアサイドで確認できるのは，呼吸回数（**表2**）・およその1回換気量・リズムの変化である（**表3**）．これらに加え，聴診・皮膚の色・脈拍触診の状態・体位の変化等から症状を把握する（**図2**）．

表2　年齢別呼吸数（1分間あたり）の基準値

年　齢	呼吸回数
新生児	40～50
1～2歳	30～35
5～9歳	26～28
10～14歳	20～25
15～20歳	18～20
25歳以上	16～18

（岡安：1983[10]）

表3　様々な呼吸パターン

		呼吸パターン	特徴	主な原因
	正常			
呼吸回数の異常	頻呼吸		呼吸回数増加	低酸素症，発熱，心不全等
	徐呼吸		呼吸回数低下	脳圧亢進，気道閉塞等
一回換気量の異常	過呼吸		一回換気量増加	過換気症候群，発熱，疼痛等
	低呼吸		一回換気量低下	ギラン・バレー症候群，睡眠薬等
リズムの異常	クスマウル呼吸		一回換気量が増加しリズムが規則的	代謝性アシドーシス，尿毒症等
	チェーン・ストークス呼吸		リズムが規則的で無呼吸を挟む	脳疾患，うっ血性心不全，中毒等
	ビオー呼吸		リズム，無呼吸時間が不規則	橋・延髄の外傷や血管障害，脳腫瘍等

I. 症状からみた対処法

対処法（図2）

　呼吸困難とともに顔面蒼白・急激な血圧低下・脈拍数の減少等のショック症状が認められた場合は，**酸素投与**や**気道確保**・**人工呼吸**に加え，**静脈路を確保**し，**輸液**を行いながら**救急病院へ搬送**する．ショック症状が認められない場合は，呼吸状態をよく観察し，疑われる疾患に対する処置を行う．

　呼吸抑制では，薬剤を併用している場合は，呼吸回数や1回換気量の著明な変化，経皮的動脈血酸素飽和度（SpO_2）の低下等が認められた時点で顎保持・頭部後屈等の気道確保を行い，必要に応じて酸素投与や補助呼吸を行う．薬剤を使用していない場合は，意識レベルを確認するとともに，気道確保・酸素投与に加えて人工呼吸・静脈路の確保を行い，直ちに119番通報するか救急病院へ搬送する．

予防策

　発作的に呼吸困難を起こす患者は，以前にも発作を起こしている場合がある．そのため，問診を注意深く行い，どのような状況下でどのような発作を起こしたのかを把握しておく

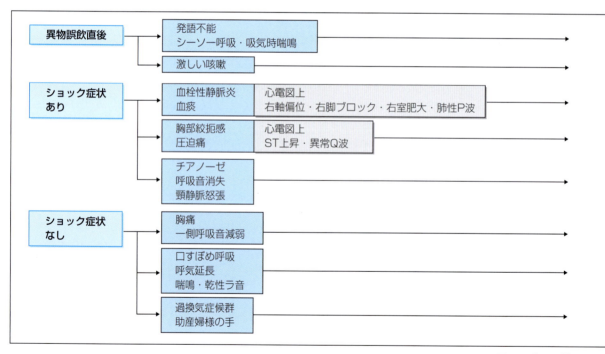

図2　呼吸困難の

50

ことが重要である．特に，**気管支喘息患者の場合は，吸入薬を使用している**ことが多いため，歯科治療を行う時には必ず持参させる．**ショック**や**過換気症候群**は，歯科治療や局所麻酔に対する不安や精神的緊張等，心理的要因が潜在している場合が多い．治療前によく処置内容について説明し，十分に除痛対策を行い，必要であれば**精神鎮静法を応用**し，患者がリラックスして歯科治療を受けられるような対応策が必要となる．

　静脈内鎮静法等，呼吸抑制を起こす可能性のある薬物を使用する場合は，パルスオキシメータやカプノメータ等のモニタを使用することに加え，患者の呼吸回数や換気量を注意深く観察することで，変化の早期発見が可能となる．

　頭部外傷による呼吸抑制では，必ず受傷の既往があり，悪心，嘔吐を伴う場合が多い．運動麻痺や意識障害を併発している可能性も高いので，問診を詳細に行い，患者の状況を把握しておくことが重要である．特に，高齢者や脳血管障害の既往がある患者については，現在の意識状態や四肢麻痺の状況を記録しておくと変化がわかりやすい．

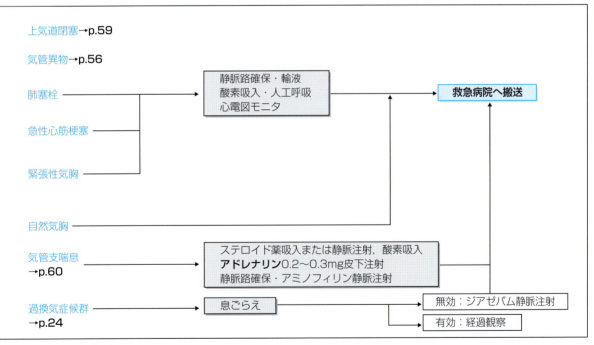

症状，原因，対処法

〈山﨑陽子〉

I. 症状からみた対処法

13 チアノーゼがみられたら

> チアノーゼ（ドイツ語：Zyanose，英語：cyanosis，日本語：紫藍症）とは‥‥皮膚や粘膜が暗紫赤色を呈する状態．血中の還元ヘモグロビン（血色素）量，あるいは異常ヘモグロビン誘導体が増加することにより現れる．多くの場合，重症な低酸素（血）症を意味する．

チアノーゼというのは，症状であり病気ではない．チアノーゼのみを主訴とすることは稀であり，多くはチアノーゼとともに何らかの症状が発現する．

チアノーゼは，口唇，口腔粘膜，鼻先，指先等の末梢でみられやすい．これらの場所は，メラニン色素が少なく，薄い表皮，毛細血管が豊富である等の理由により，毛細血管の色を反映するためである．

健康な人でも，寒冷や精神的に異常な緊張状態で現れることがある．

 原因

チアノーゼの病態は，**還元ヘモグロビン（酸素をもっていないヘモグロビン）の増加（5g/dL以上．通常血液中のヘモグロビン値は13〜18g/dLであるため，1/3のヘモグロビンが酸素をもっていない状態であることを意味する）または異常ヘモグロビン**による．その原因は，①呼吸器疾患によるもの，②循環の障害によるもの（静脈血の動脈血への流入等），③異常ヘモグロビンによるもの，の3つに大別される．

またチアノーゼは，その種類により中心性チアノーゼと末梢性チアノーゼ，および分離性チアノーゼに分けられる（図1，表1）．

中心性チアノーゼは，心臓から血液が送り出される時点で還元ヘモグロビンが多い状態のことである．心臓自体に問題があるか，肺で酸素を取り入れられない肺胞低換気状態，異常ヘモグロビン（メトヘモグロビン血症等）が原因となっている．動脈血の酸素化が十分に行われないため，動脈血酸素飽和度が低下して発現する．末梢性チアノーゼは，心臓から血液が送り出された時点では酸素化は問題ないが，末梢の組織にいくまでに酸素を離して結果的に還元ヘモグロビンになってしまう状態である．末梢に酸素が届けられないので，四肢や顔面が紫色〜暗赤色になり，唇は青いが口腔内全体は普通である．下肢静脈瘤，閉塞性動脈硬化症，レイノー現象で多くみられる．分離性チアノーゼは，先天性心疾患に伴ってみられ，一方に正常に酸素化された動脈に，他方に右−左短絡を含む静脈血が流れるために，上半身または下半身にチアノーゼが生じる状態である．

術前からチアノーゼがみられる場合は，心血管系・呼吸器系の障害（ばち状指の有無等）を疑う．術前にチアノーゼを伴う疾患を有していない患者が歯科治療の途中でチアノーゼを起こした場合，その原因としては，以下のようなことが考えられる．

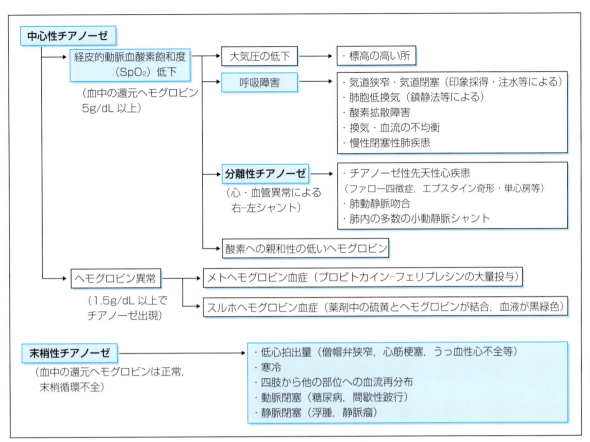

図1 チアノーゼの分類(赤塚,1996[11])を一部改変)

表1 チアノーゼ出現時の血液中酸素飽和度(ヘモグロビン濃度 15g/dL の場合)

	動脈血酸素飽和度	毛細血管内血液酸素飽和度	静脈血酸素飽和度
健常者	100%	70%	70%
中枢性チアノーゼ	82%以下	67%以下	52%以下
末梢性チアノーゼ	100%	67%以下	33%以下

1. エアタービン操作等の注水(吸引不足),印象採得,ラバーダム防湿や嘔吐による気道狭窄や閉塞
2. 治療行為に対し,突然のショックや心停止による循環不全
3. 大量の麻酔薬の使用
   ①プロピトカイン塩酸塩・フェリプレシン注射剤(シタネスト-オクタプレシン®)等の局所麻酔薬の大量投与によるメトヘモグロビン血症
   ②静脈内鎮静薬を過量投与したことによる呼吸抑制

症状

通常，チアノーゼを認めるのは，口唇，頰部，耳朶(じだ)，四肢末梢，爪床(そうしょう)である．チアノーゼは視覚的な所見であり，皮膚の色素量，血漿の色調，皮膚厚あるいは皮膚毛細血管の状態により影響を受ける．チアノーゼが認められた場合は，極めて重篤な酸素化の障害かつ末梢循環不全を示す徴候で，手指における経皮的動脈血酸素飽和度（SpO_2）80％以下，動脈血酸素分圧（PaO_2）45mmHg 以下と解釈してもよい．チアノーゼは酸素不足の一つの状態ではあるが絶対的なものではない．

多血症や血液濃縮の状態では，チアノーゼがあっても血液全体のヘモグロビンが元々多いため，生体は必要な酸素を得ることができる．また末梢循環不全では PaO_2 が正常でもチアノーゼを示す．逆に，**貧血等でヘモグロビン量が減少していると，ヘモグロビンの絶対量が少ないために，低酸素状態になってもチアノーゼが発生しにくい**ので，この状態の解釈には注意を要する．

鑑別

図2に術前のチアノーゼ鑑別のためのフローチャートを示す．中心性チアノーゼと末梢性チアノーゼとの鑑別点は，後者では四肢のマッサージや加温により，チアノーゼが消失する．分離性チアノーゼでは上肢と下肢の視覚的所見を対比する．

対処法（図2）

原因疾患の病態生理に基づいた個別の対応が必要であるが，歯科治療に伴って発生したチアノーゼへの対処の基本手順は以下の通りである．

1. **原因を除去する**．直ちに，歯科治療を中止し，口腔内容物を除去する（口腔内分泌物に対する吸引操作，注水操作の中止，印象材の除去，ラバーダム防湿の除去：特に口呼吸しかできない場合）．
2. プロピトカイン-フェリプレシンによる局所麻酔等，薬剤投与が原因であれば投与を中止する．
3. **気道確保**を行い，鼻（カニューラ，またはマスク）や口（フェイスマスク）から**酸素を2～4L／分で吸入**させる．SpO_2 は97％以上を維持するように流量を調節する（酸素投与の方法については，**p.114** 参照）．
4. **バイタルサインをチェック**し，チアノーゼ以外の症状を把握する．心停止の場合は，応援要請や119番通報をし，直ちに一次救命処置（BLS）を行う（**p.98** 以降参照）．
5. 四肢の冷感を伴う，あるいは高濃度の酸素療法にも反応しない場合には，末梢循環不全に基づく末梢性チアノーゼを疑い，保温を考慮する．
6. ショック状態であれば点滴静脈路を確保し，昇圧薬，副腎皮質ホルモン薬（ステロイド薬），強心薬，抗ヒスタミン薬等を投与する．
7. メトヘモグロビン血症が原因として考えられれば，救急搬送し，還元剤のメチルチオニウム塩化物やアスコルビン酸の静脈注射を行う必要がある．

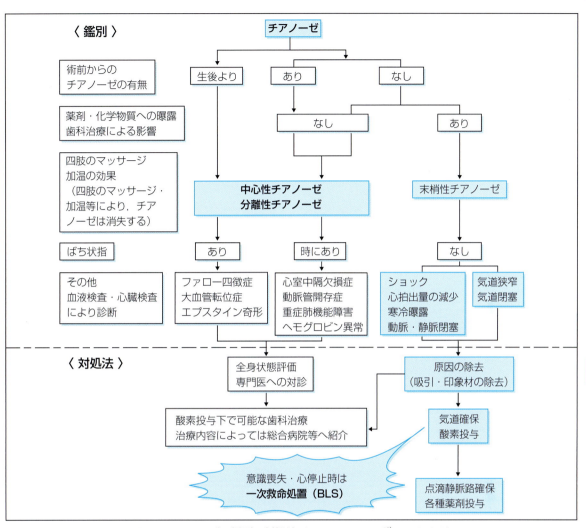

図2 チアノーゼの鑑別・対処法（比江嶋 編，1998[12]）を一部改変）

> **COLUMN**
>
> ### メトヘモグロビン血症
>
> メトヘモグロビン（MetHb）は，ヘモグロビン中の核（ヘム）をなす2価の鉄イオン（Fe^{2+}）が酸化されて3価の鉄イオン（Fe^{3+}）に変化した異常ヘモグロビンの一つである．その結果，ヘムへの酸素結合が低下し，ヘモグロビンとしての運搬能力が失われた状態となる．メトヘモグロビンは通常，還元酵素の働きによって2価鉄に還元され，基準範囲は全ヘモグロビンの0.04〜3％程度のごく低い濃度に保たれている．
>
> メトヘモグロビン血症の症状は濃度が10％未満では無症状であるが，10〜25％ではチアノーゼ，35〜40％では呼吸困難，意識障害，70％以上では致死的となる．診断は，①経皮的動脈血酸素飽和度（SpO_2）が低値，②動脈血ガス検査を追加して動脈血酸素飽和度（SaO_2）が正常範囲であり，SpO_2と乖離現象がみられること，③動脈血ガス検査で得られるメトヘモグロビン濃度が3％以上であることがその条件となる．
>
> 治療は酸素吸入，原因物質の除去が優先される．メトヘモグロビン濃度が30％以下では還元酵素の働きで24〜72時間以内に正常ヘモグロビンに還元される．35％以上であれば，メトヘモグロビンの還元補酵素として作用するメチルチオニウム塩化物（メチレンブルー®）の1〜2mg/kgの静脈内投与が有効である．

〈中村博和・里見ひとみ〉

I. 症状からみた対処法

14 気管・食道に異物が落ちたら

補綴装置や歯科器材・材料等の異物が，気管および食道に陥入する，いわゆる誤飲・誤嚥事故は，歯科治療中に比較的高頻度に発生する医療事故である．

 対処法（図1）

①**異物の確認**：直ちに術者は患者の顔を横に向け，口腔内から咽頭にかけて異物の有無をチェックする．同時に，歯科衛生士ならびに歯科助手はチェアサイドに異物が落下していないかどうかを調べる．実際に誤嚥している場合，**患者を急に起こしたり歩かせたりすると異物がより深部に落ち込む危険性がある**ので注意する．

②**患者の観察**：患者に異物を飲み込んだ感覚があるか否かを問いかける．嚥下に伴う喉の痛みや違和感の有無，胸部や腹部の痛みや違和感の有無，咳の発現，呼吸困難の訴え，発声の可否，チョークサイン（両手で首を掴んだり，首を掻きむしるような動作，図2）やチアノーゼの出現等について観察する．また，モニタ機器が常備されている場合は，経皮的動脈血酸素飽和度（SpO_2）を測定することにより，緊急度の判別が可能となる場合がある．直後から自覚症状が持続しているような場合（咳が止まらない，息苦しい等）は気管への誤嚥が疑われるため，早急に異物の位置の確認を行い，排出方法の検討を行う．この場合，患者を急に動かしたりすると異物がより深部に落ち込み，症状の悪化を招く危険があるため安静を保つ必要がある．

③**救急車の要請・徒手的排出法**：咳等による自己排出ができない場合は，患者の安静を保ち，できれば仰臥位（寝かせた状態）のまま（ストレッチャーや担架等により）近医に搬送する．誤嚥直後に呼吸困難，声が出ない，チョークサインやチアノーゼ等の症状を認めた場合は緊急を要し，119番通報とともに腹部突き上げ法（ハイムリック法），胸部突き上げ法および背部叩打法による徒手的排出を試みる．乳幼児，妊娠後期妊婦および肥満患者にハイムリック法は禁忌である．患者の意識が消失した場合は，直ちに一次救命処置を開始する．

④**患者の移送・画像検査**：症状の有無に関わらず，異物の存在部位を正確に把握するためには，頭頸部・胸部・腹部のX線写真撮影，CTやMRI等の精密画像検査を行う必要がある（図3）．しかし，一般の歯科医院では設備がないことが多いため，各種画像検査の行える総合病院等に患者を移送する．この時，担当歯科医が同行するとともに誤嚥物と似た形態の物を持参すると画像読影時の参考になる．

⑤**異物の確認・排出法の検討**：画像検査等により異物の陥入部位を特定できれば，排出の可否，具体的な排出法について搬送先の医師とともに検討する．誤嚥物の形態ならびに材料の性質や特徴は，排出法選択の参考になる場合があるので，担当歯科医は同行してできるだけ詳しく担当医に情報を提供する．

⑥**経過観察・排出の確認**：異物が消化管に誤飲された場合，その多くは約3〜5日以

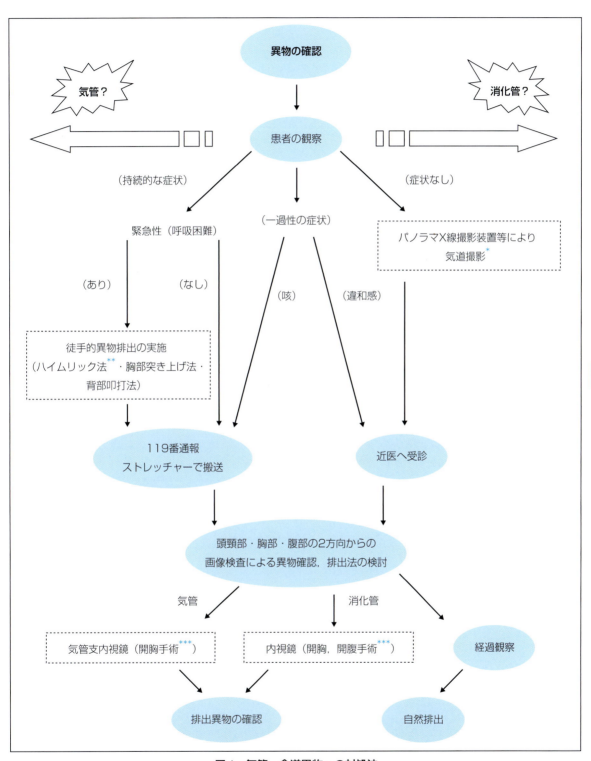

図1 気管・食道異物への対処法

[*]咽喉頭・上部食道，喉頭直下の気管に陥入している可能性まではわかるが，消化管か気管かの確実な鑑別は困難なため推奨できない
[**]乳幼児，妊娠後期妊婦および肥満患者にハイムリック法は禁忌
[***]現在ではほとんど実施されない

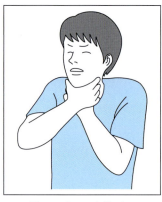
図2　チョークサイン

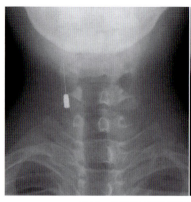
図3　咽喉頭部X線写真

内に糞便とともに自然排出されるが[13,14]，異物が5日以上停滞する場合には内視鏡による摘出を考慮する場合もある．いずれにせよ専門医と密に連絡をとり，十分に患者に説明して了解を得ながら対応および経過観察を行う．

現状

　誤嚥事故について日本大学歯学部歯科麻酔学講座が行ったアンケート調査の結果によると，誤嚥事故の経験をもつ歯科医は，回答のあった1,443名のうち925名で，全体の約64％にものぼる[15]．そして，その半数以上が複数回の事故を経験しており，誤嚥は繰り返し起こりうる偶発事故であることがわかる．

　誤嚥を起こした患者の年代については，嚥下・咳嗽反射が低下している高齢者に比較的多く発生するという報告や[16,17]，逆に若年層の方が起こりやすいという報告も見受けられ[15]，誤嚥事故は，どの年齢層においても発生する可能性がある．

　図4は誤嚥物の種類とその誤嚥率である．インレーや手用リーマー，歯科用バー等比較的小さなものが誤嚥される頻度が高いが，稀に義歯やブリッジ等の大きなものも誤嚥され，珍しいものとしてはミラートップの誤嚥経験まで報告されている[18]．

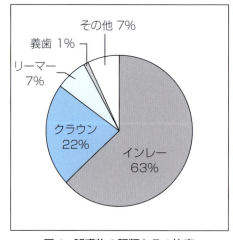
図4　誤嚥物の種類とその比率

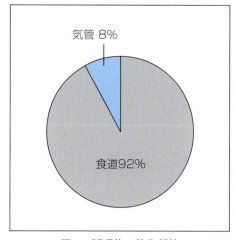
図5　誤嚥物の陥入部位

患者の体位については，圧倒的に水平位診療時に誤嚥の発生頻度が高い．

異物の存在が確認された部位では，92％が食道となっており，気管に陥入する頻度は8％と低い（図5）．

◆気道閉塞が起こったら

歯科診療中には誤嚥による気道異物も含め，様々な原因により気道閉塞が生じる可能性がある．特に気道が完全に閉塞した場合は，数分後にはチアノーゼや意識障害が出現，心停止に至るため処置には緊急を要する．

呼吸困難感，吸気時の狭窄音，頻呼吸等が気道閉塞の前兆であり，気管タグ（吸気時に鎖骨上皮膚が陥没），シーソー呼吸（胸部と腹部の動きが逆になる），チョークサインがみられた場合は気道閉塞が生じていると判断する．

対処法（図6）

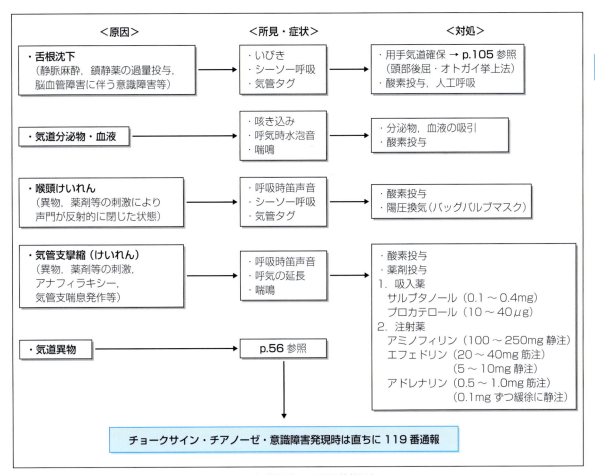

図6 気道閉塞の原因別対処法

〈廣瀬倫也〉

I. 症状からみた対処法

15 ぜんそく（気管支喘息）発作がみられたら

「気道の慢性炎症を本態として，臨床症状として変動性をもった気道狭窄（喘鳴，呼吸困難）や咳で特徴づけられる疾患」で，減少傾向ではあるが，年間 1,500 人以上の死亡例がある（2016 年）（死亡例の約 90％が 65 歳以上）ため，迅速な対応が必要となる．

原因

気管支喘息には環境アレルギーに対する特異的 IgE 抗体の産生亢進によるもの（アトピー型）と気道の過敏性によるもの（非アトピー型）がある **(表1)**．

増悪因子
① **薬物**：酸性 NSAIDs（非ステロイド性抗炎症薬），β遮断薬，造影剤，歯科用レジン等
② **環境因子**：喫煙，ダニ，真菌，ペット，花粉，粉塵等
③ **その他**：冷気，刺激性ガス，運動，ストレス等

症状と対処法

気道狭窄による喘鳴・呼吸困難・咳や起坐呼吸*が特徴である．院内で患者が喘息発作を起こした場合，迅速で適切な重症度の判断 **(表2)** と対応 **(図1)** が必要となる．歯科医院で対応できるのは軽度な小発作までである．

＊起坐呼吸：呼吸困難が仰臥位で増強し，座位で軽快するため座位（やや前傾姿勢）をとって呼吸している状態．左心不全でもみられる．

予防策

術前の問診が重要である．

表1 喘息の病型

	アトピー型	非アトピー型
発症年齢	小児〜思春期	成人後
症状	発作型が多い	慢性型，重症が多い
季節	季節型（春，秋）	通年型が多い（一部で冬季）
特異的 IgE 抗体・皮膚テスト	陽性	陰性
他のアレルギー疾患・家族歴	あり or なし	なし
鼻茸，アスピリン喘息	関連少ない	関連することあり

（https://www.kyoukaikenpo.or.jp/~/media/Files/kochi/20140325001/20170210zensoku.pdf を改変）

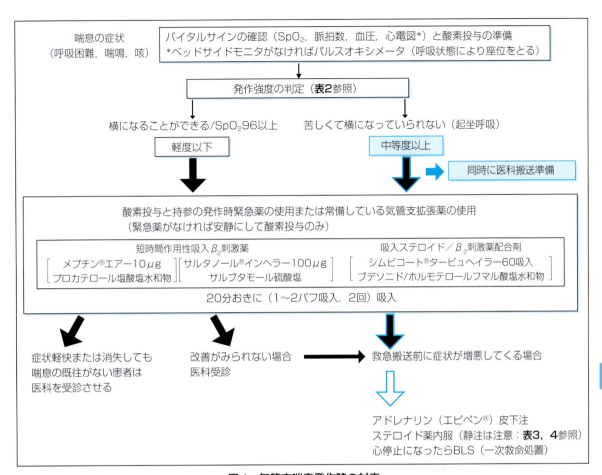

図1　気管支喘息発作時の対応

1. 問診のポイント

① 喘息の既往歴：いつ頃から（医療機関受診歴），アスピリン喘息の有無（NSAIDs 使用歴，アレルギー性鼻炎，副鼻腔炎の既往や手術歴，嗅覚低下，鼻茸手術歴の確認）（ポイント参照）
② 症状：発作の程度，発作の頻度，どのような時に発作が出るか
③ コントロール状態：常用薬，最終の発作はいつか，緊急薬の有無
④ 家族歴：アトピー素因，喘息

2. 歯科治療時のポイント

・最終発作の再確認
・常用薬の当日使用確認
・緊急薬の持参の確認
・術後の鎮痛薬の選択（**表3**）
・口腔外バキューム使用等の粉塵対策
・精神鎮静法の併用等ストレスの緩和にも努める

I. 症状からみた対処法

表2 喘息発作（急性増悪）の強度に対応した管理法

発作強度[1]	呼吸困難	動作	検査値[2] SpO_2	治療	対応の目安
喘鳴／胸苦しい	急ぐと苦しい 動くと苦しい	ほぼ普通	96％以上	短時間作用性β_2刺激吸入薬吸入[3] ブデソニド／ホルモテロール吸入反復（SMART療法[4]施行時）	医師による指導のもと自宅治療可
軽度（小発作）	苦しいが横になれる	やや困難			
中等度（中発作）	苦しくて横になれない（起坐呼吸）	かなり困難 かろうじて歩ける	91～95％	短時間作用性β_2刺激薬ネブライザー吸入反復[3] 酸素吸入（$SpO_2$95％前後を目標） ステロイド薬全身投与 短時間作用性抗コリン薬吸入併用可 （アミノフィリン点滴静注併用可） （0.1％アドレナリン：ボスミン®皮下注使用可）	救急外来 ・2～4時間で反応不十分 ・1～2時間で反応なし ｝入院治療 入院治療：高度喘息症状として発作治療対応
高度（大発作）	苦しくて動けない	歩行不可能 会話困難	90％以下	短時間作用性β_2刺激薬ネブライザー吸入反復 酸素吸入（$SpO_2$95％前後を目標） ステロイド薬全身投与 短時間作用性抗コリン薬吸入併用可 （アミノフィリン点滴静注） 抗コリン薬吸入 （0.1％アドレナリン：ボスミン®皮下注使用可）	救急外来 1時間以内に反応なければ入院治療 悪化すれば重篤症状の治療へ
重篤	呼吸減弱 チアノーゼ 呼吸停止	会話不能 体動不能 錯乱 意識障害 失禁	90％以下	上記治療継続 症状，呼吸機能悪化で挿管 酸素吸入にも関わらず$PaCO_2$50mmHg以下および／または意識障害を伴う急激な$PaCO_2$の上昇 人工呼吸，気管支洗浄を考慮 全身麻酔（イソフルラン，セボフルラン等による）を考慮	直ちに入院，ICU管理

1) 発作強度は主に呼吸困難の程度で判定し，他の項目は参考事項とする．異なった発作強度の症状が混在する時は発作強度の重い方をとる
2) 気管支拡張薬投与後の値を参考とする．（他 PEF，PaO_2，$PaCO_2$は歯科医院では測定できないためSpO_2のみの記載とした）
3) β_2刺激薬 pMDI 1～2パフ，20分おき2回反復可
4) SMART：ブデソニド／ホルモテロール配合剤を長期管理と増悪治療の両方に用いて薬物療法を行っている

（日本アレルギー学会：喘息予防・管理ガイドライン2021[69]を改変）

ポイント

アスピリン喘息とは

アスピリンに対するアレルギーではなく，COX1阻害作用をもつNSAIDsにより，強い気道症状を呈する不耐症であるが，選択的COX2阻害薬は安全に使用できる．鼻閉や流涙等も伴うため，近年は「aspirin-exacerbated respiratory disease；AERD」とよばれている[69]．成人喘息の5～10％を占め，男女比は1：2で小児では稀である．ほとんどの症例で好酸球性鼻茸を合併し，近年では好酸球性中耳炎や胃腸症，異型狭心症の合併が増加している．

症状として強い鼻閉と鼻汁，喘息発作が発現し，顔面紅潮，眼結膜充血も伴いやすく，1/3の例では消化管症状（腹痛，嘔気，下痢），時に胸痛や掻痒感，蕁麻疹等も認める．通常1時間以内に発症するが，腸溶剤さらに貼付剤では発現が遅い．

通常のアレルギー検査では診断不能で，問診（予防策の項で解説）が重要であり，確定診断には内服試験が必要である．静注用ステロイド薬の急速静注は禁忌であり，NSAIDs誘発時にはアドレナリンが奏効する．

表3 COX1阻害作用からみたアスピリン喘息（AIA）における禁忌薬と使用可能薬（谷口, 2013[19]）

1. 非常に危険（吸収が速いため致死的反応になりやすい．絶対禁忌．強いCOX1阻害作用を有する注射や坐剤のNSAIDs）
   - （ア）スルピリン*やケトプロフェン*等の注射剤
   - （イ）インドメタシン*（インテバン®），ピロキシカム*，ジクロフェナク*（ボルタレン®）等の坐剤
2. 危険（絶対禁忌，←強いCOX1阻害作用を有する内服薬その他）
   - （ア）酸性NSAIDs全般*（COX1阻害作用を有する内服薬すべて）
   - （イ）コハク酸エステル型ステロイド薬の急速静注（ただしCOX1阻害作用は不明）
3. やや危険〜危険（禁忌，安定例でも一定の確率で発生が生じる←弱いCOX1阻害作用）
   - （ア）酸性NSAIDsを含んだ貼付剤*，塗布剤*，点眼剤*
   - （イ）アセトアミノフェン*1回500mg以上
   - （ウ）パラベンや安息香酸，亜硫酸塩等の添加物を含んだ医薬品**の急速投与（静注用リン酸エステル型ステロイド薬等．ただしCOX1阻害作用は不明）
4. ほぼ安全（多くのAIAで投与可能．ただし喘息症状が不安定なケースで発症が生じることあり←わずかなCOX1阻害），特にエ，オ，カは安全性が高い）
   - （ア）PL配合顆粒®*（アセトアミノフェン*等を含有）
   - （イ）アセトアミノフェン*1回300mg以下
   - （ウ）NSAIDsを含まずサリチル酸を主成分とした湿布（MS冷シップ）
   - （エ）選択性の高いCOX2阻害薬［エトドラク*，メロキシカム*（高容量でCOX1阻害あり）］
   - （オ）選択的COX2阻害薬［セレコキシブ*（セレコックス®），ただし重症不安定で悪化の報告あり］
   - （カ）塩基性消炎薬［チアラミド塩酸塩*（ソランタール®）等，ただし重症不安定で悪化の報告あり］
5. 安全（喘息悪化は認めない←COX1阻害作用なし）
   - （ア）モルヒネ，ペンタゾシン
   - （イ）非エステル型ステロイド薬（内服ステロイド薬）
   - （ウ）漢方薬（地竜，葛根湯等）
   - （エ）その他，鎮痙薬，抗菌薬，局所麻酔薬等，添加物のない一般薬ではすべて使用可能

*：添付文書では，アスピリン喘息において禁忌とされている薬剤．ただし禁忌とされた薬剤でも医学的根拠に乏しい場合もある（例：セレコキシブ）
**：シタネストオクタプレシン®

表4 静注用ステロイド薬

	コハク酸エステル型ステロイド薬（禁忌）	リン酸エステル型ステロイド薬（添加物に注意）
ヒドロコルチゾン	サクシゾン®，ソル・コーテフ®等	水溶性ハイドロコートン®等
プレドニゾロン	水溶性プレドニン®等	―
メチルプレドニゾロン	ソル・メドロール®等	―
デキサメタゾン	―	デカドロン®等
ベタメタゾン	―	リンデロン®等

コハク酸エステル型とリン酸エステル型製剤があり，AIAは特にコハク酸エステル型に過敏である

〈鈴木正敏〉

I. 症状からみた対処法

16 四肢冷感・冷汗がみられたら

◆四肢冷感（四肢循環障害）

四肢末梢の血管が細くなり，これらの部位における血液循環障害が起こった状態．

症状

四肢の冷感，疼痛，しびれ，だるさ，皮膚色調の変化等．

ただし，自覚的に手足が冷たいと感じれば，すべて四肢の冷感であり，全身的な冷えの部分的な症状として感じる場合と，手足にのみ限局する場合がある．また，実際に体温が低下していなくても感じることがある．

鑑別診断

閉塞性血栓血管炎，閉塞性動脈硬化症（ASO；arteriosclerosis obliterans），静脈瘤，レイノー病，加齢等．

慢性の四肢循環障害の医科的診断は**表1**の通りである．

◆冷汗

自律神経からの SOS サイン．

症状

高温によって引き起こされる温熱性発汗，精神性発汗，酸味・辛味等の強い味覚刺激によって顔面等にみられる特殊な味覚性発汗がある．

鑑別診断

激痛を伴う疾患で，精神性発汗による，いわゆる「あぶら汗」．前胸部痛を伴えば心筋梗塞，腹部痛を伴えば急性腹症，イレウス（腸閉塞）を疑う．その他，腎結石，骨折等．

表1　慢性の四肢循環障害の診断

1. 疼痛	1）神経支配に一致しない疼痛 2）運動負荷や肢位で増強する疼痛
2. 皮膚の色調変化	動静脈狭窄・閉塞部位より末梢部が蒼白色や紫青色（チアノーゼ）となる レイノー症候群やレイノー病では寒冷や冷水に暴露されると，末梢血管収縮により局所血流が障害され，皮膚は冷たく蒼白となり，やがて毛細血管や細静脈中の酸素飽和度が低下しチアノーゼが出現する 閉塞性動脈硬化症では血栓により，バージャー病では血管炎により，急性に動脈が閉塞し，チアノーゼを呈する．血栓性静脈炎や静脈瘤等の静脈側の閉塞でも局所血流が低下しチアノーゼを呈する
3. 皮膚温	循環障害のある部位は低温となる
4. 脈拍	脈拍が消失あるいは弱化しているのをみる．両側の動脈を圧迫し，血流を一時的に停止させ，四肢末梢の蒼白の有無あるいは圧迫除去後の紅潮の出現を比較する
5. 爪圧迫試験	爪を圧迫し，蒼白になった爪の色調の回復速度をみる
6. 下肢挙上試験	背臥位で両下肢を挙上させ，そのままの状態とし，足底の皮膚蒼白の有無をみる
7. 四肢の腫脹や浮腫	他覚的に視診および触診にて診断が容易
8. 静脈瘤の有無	体表面にある血管がふくれてこぶのようになってしまう 静脈弁が壊れ，余分な血流が留まることが原因 重症なものでは，一目でそれとわかるほどボコボコと膨れてしまい，皮膚が硬くなったり，変色してしまう 軽症では，狭い範囲に毛細血管が浮き立つようにみえるだけのものもある
9. 皮膚の潰瘍や壊死	他覚的に視診および触診にて診断が容易
10. 機器による診断	皮膚温度計，MR血管造影（造影剤を静脈注射），動脈造影検査（動脈に少量の造影剤を注入），超音波エコー，サーモグラフィ

> **COLUMN**
>
> ### 加齢による四肢の冷感
>
> 病的な原因がなくとも高齢者では四肢の冷感を認めることがあり，以下の理由が考えられる．
> 1. 代謝の低下に起因する臓器熱産生能の低下
> 2. 筋肉の活性低下に起因する筋収縮による熱産生能の低下
> 3. 寒冷時に起こる反応性血管収縮機能の低下に起因する熱放散の増大
> 4. 冷覚受容器*の反応性低下に起因する温熱中枢へのフィードバックの減弱と，温熱中枢から末梢への熱産生の刺激の減弱
>
> *デヴィッド・ジュリアス（カリフォルニア大学サンフランシスコ校）とアーデム・パタプティアン（アメリカ，スクリプス研究所）は，「温度と触覚の受容体の発見」で2021年ノーベル生理学・医学賞を受賞した．

Ⅰ. 症状からみた対処法

◆歯科治療中に起こる急性の四肢冷感・冷汗 (図1)

原因

交感神経緊張による末梢血管の収縮，ショックによる循環虚脱によることが多い．
1. 歯科治療に対する不安・緊張
2. 痛み刺激：歯の切削，局所麻酔等
3. ショック時：末梢循環不全で交感神経系の緊張により起こる．皮膚は発熱の場合と異なり蒼白である
4. 低血糖：インスリン過剰投与，糖尿病患者が歯痛等で食事がとれない状態であるにも関わらず，常用薬を飲み続けた場合等

予防策

1. 待合室，診療室を適温に保つ
2. インフォームドコンセントを十分に行い，精神鎮静法や除痛を積極的に取り入れる．締め付ける衣服を避け，患者にとって無理のない体位で治療する

対処法

1. 四肢冷感・冷汗がみられたら診療を中断して汗を拭い，バイタルサインを測定・記録する
2. 疼痛が原因であれば除痛（局所麻酔）を確実に行い，ショック症状があればショック体位・酸素吸入，低血糖が疑われればブドウ糖投与を行う

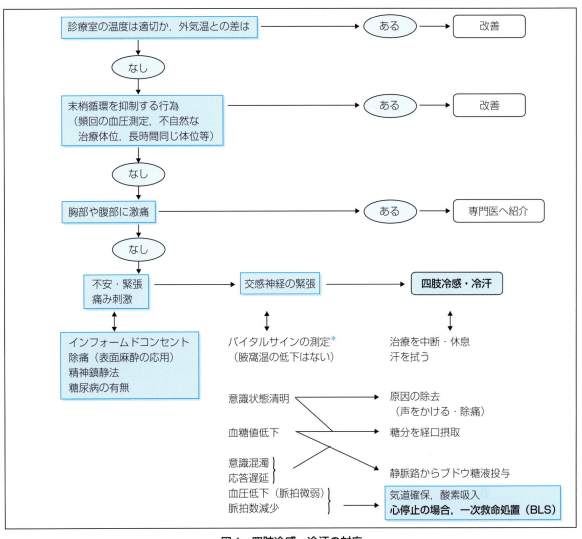

図1 四肢冷感・冷汗の対応

*血圧上昇，脈拍数増加と発汗の相関性は年齢，個人差がある
20歳代と60歳代では発汗量に有意な差を認める
同じ負荷に対して高齢者では脈拍・血圧は大きく変動する．高齢者では，発汗を認めなくとも，血圧上昇時は注意を要する

> **COLUMN**
>
> **汗もいろいろ──精神性発汗と基礎発汗**
>
> 　精神性発汗は，常温において手のひら，足の底に認める．精神的興奮に反応して，瞬時に分泌する．
>
> 　また，覚醒時で精神的興奮がほとんどないと思われる状態でも，手のひら，足の底には基礎発汗とよばれるわずかな水分の分泌が絶えず行われている．これは，物をつかんだり，運動する時の滑り止めの役割を果たしていると考えられている．

〈卯田昭夫〉

I. 症状からみた対処法

17 アレルギーが疑われたら

24〜48時間以上経過してから症状が現れる「Ⅳ型の遅延型（細胞免疫型）アレルギー反応」について解説する．いわゆる金属アレルギー等もこのタイプで，投与部位に発赤，丘疹，膨疹，水疱等を形成する．

原因

歯科においては，局所麻酔薬，抗菌薬，鎮痛薬に対するアレルギー反応の頻度が高いが，それ以外にも歯科用金属や修復材料（金属充填物，レジン，セラミックス，ジルコニア，チタン）等に対するアレルギーにも注意を要する．使用する薬剤や歯科材料のすべてがアレルゲンとなり得る**（表1）**．

1．薬剤アレルギー

アレルギー反応の多くは局所麻酔薬に対するものであるが，日本で使用されている歯科用局所麻酔カートリッジの大半を占めるリドカイン製剤に対するアナフィラキシーは，約150万回に1回と極めて少ないとの報告がある[21]．

また，歯科用局所麻酔薬に対するアレルギー反応のうち，何割かは含有されているメチルパラベン（保存剤）が誘因であるという報告もある[22]．したがって，化粧品や保存食品等でアレルギー反応を起こしたことがある患者に対しては，パラベンフリーの薬剤を使用した方がより安全である．

2．歯科材料アレルギー

歯科で使用する金属のうち，アレルゲンとして感作が多いのは金属冠の材料，口腔外科用や矯正材料のニッケル，パラジウム**（図1）**等である．また，レジン成分のメチルメタクリレートやハイドロキシエチルメタクリレート等に対するアレルギーの報告も散見される．しかし，レジンやセメント等の歯科材料は硬化させた状態でなければパッチテストは行えない．また，インプラント材料のチタンに対するアレルギーの報告もあるが，正式なパッチテストは行えない等，十分な予防策を講じることができない場合もある．

3．食物アレルギーを有する患者の場合

ラテックスフルーツ症候群や口腔アレルギー症候群を合併している場合があるので，これらが疑われる場合はラテックスアレルギーに気をつける必要がある．

表1 アレルギーの原因となる主な歯科薬剤，材料（見﨑 他，2005[20]）

1. 歯科用局所麻酔薬（防腐剤，抗酸化剤を含む）
2. ラテックス（ラバーダム，グローブ，印象材）
3. ヨード類（ポビドンヨード：イソジン®）
4. 消毒薬（グルコン酸クロルヘキシジン：ヒビテン®）
5. ガッタパーチャ
6. ホルマリンクレゾール（FC）
7. 抗菌薬，鎮痛薬
8. 歯科用金属
9. 充填剤

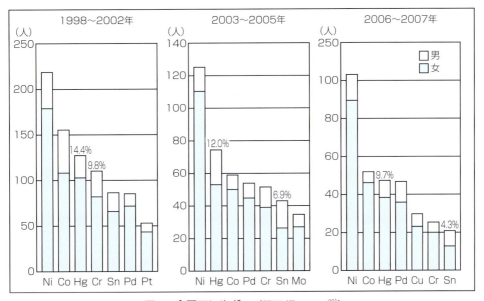

図1 金属アレルギー（福田 編，2010[23]）
Ni：ニッケル，Co：コバルト，Hg：水銀，Cr：クロム，Sn：スズ，Mo：モリブデン，Pd：パラジウム，Pt：プラチナ，Cu：銅

 症状（表2）

紅斑や水疱等の接触性皮膚炎が主な症状であるが，口腔扁平苔癬，アトピー性皮膚炎，掌蹠膿疱症等がみられることもある．

 対処法

症状に対しては抗アレルギー薬，漢方製剤，副腎皮質ホルモン薬，抗ヒスタミン薬等で対処するが，治療は皮膚科や内科に依頼する．

I. 症状からみた対処法

表2 アレルギー疾患の主たる罹患部位と特徴的な症状

罹患部位	特徴的な症状
結膜	アレルギー性結膜炎（流涙，搔痒感，充血）
鼻粘膜	アレルギー性鼻炎（鼻汁，くしゃみ，鼻閉）
気管・気管支	気管支喘息（喘鳴，咳嗽，呼吸困難）
肺実質	過敏性肺炎（咳嗽，呼吸困難，発熱）
消化管	消化管アレルギー（腹痛，下痢，嘔息症状） じんましん（搔痒を伴う紅斑と膨疹）
皮膚	アトピー性皮膚炎（痒疹） 接触皮膚炎（紅斑，水疱）
血管	アナフィラキシー（意識喪失，血圧低下）

（松村，2011[24]を改変）

鑑別

局所麻酔薬は，一般用外用剤（鎮痛・鎮痒剤，殺菌消毒剤，坐剤・肛門用剤，歯槽膿漏治療薬等）に高頻度に配合されており，これらの薬剤は，バリアの破壊されている皮膚炎部，外傷部に使用されるため吸収され，感作されやすく，配合された局所麻酔薬によるアレルギー性接触皮膚炎が増加している．

一方，局所麻酔薬アレルギーが疑われる偶発症は心因性反応，迷走神経反射や麻酔時の不安や痛みが誘因となって脳貧血（様）発作を発症していることが大半なので，適切な局所麻酔薬の選択と同時に，痛みのない局所麻酔や心理面での配慮が大切である．

予防策

初診時には詳細な問診（医療面接）を行うことが重要であるが，既往歴や家族歴にアレルギー疾患やアレルギー性素因（気管支喘息，アレルギー性鼻炎，食物アレルギー，化粧品アレルギー，アトピー等）があれば，薬剤や食物に対するアレルギー反応の有無や過去のエピソードを詳細に聴取する．

その後に血液検査やパッチテストを行い，アレルゲンを特定する．

1. 局所麻酔薬使用の既往のないアレルギーの素因を有している患者の場合

リンパ球刺激試験（DLST：drug lymphocyte stimulating test）や過敏性試験（皮内反応，スクラッチテスト等）の有効性は疑問視されている．なぜなら，皮内反応試験等で陰性でも実際の使用時にアレルギー反応を起こすこともあり，信頼性が十分ではないため，様々な予防策を講じていたとしても，不可避的な反応を起こすことがあるからである．

したがって，**あらゆる薬剤を投与する際には，アナフィラキシーを含むアレルギー反応が発生する可能性を想定して，反応が生じた場合には適切な対応策を講じられるよう，救急薬剤や心肺蘇生技術を備えた上で薬剤を投与する慎重さが求められる**（図2）．

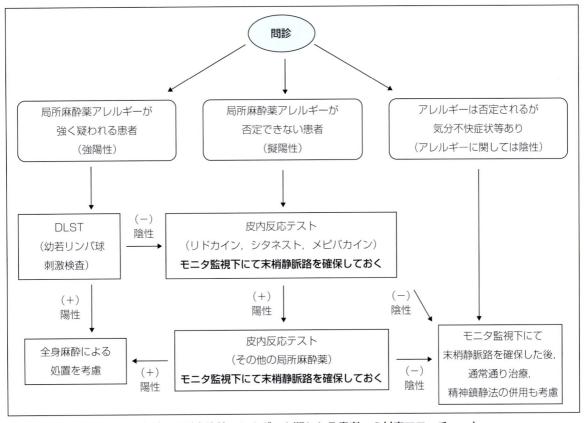

図2　歯科用局所麻酔薬アレルギーを疑われる患者への対応フローチャート

2. チャレンジテストについて

　アレルギー体質の患者に不用意に行うことは非常に危険なため，必要がある場合は専門施設に依頼する．

〈見﨑　徹・北山稔恭〉

I．症状からみた対処法

18 アナフィラキシーが疑われたら

アレルギー患者の増加とともに，歯科においてもアレルギー反応，特に即時型（Ⅰ型）であるアナフィラキシーが発生する可能性が常にあり，発生時には迅速かつ適切な対応を行う必要がある．

 原因

歯科においてアレルギー反応を生じる可能性がある薬品，用品は**表1**の通りである．特に，局所麻酔薬やラテックス（ゴム）製グローブは使用頻度が高いことから，アナフィラキシーを生じる可能性が高い．

表1 アナフィラキシーを起こす可能性のある主な歯科用薬剤・歯科材料

- 歯科用局所麻酔薬（防腐剤，抗酸化剤を含む）
- ラテックス（ラバーダム，グローブ，印象材）
- ヨード類（ポビドンヨード：イソジン®）
- 消毒薬（グルコン酸クロルヘキシジン液：ヒビテン®）
- ガッタパーチャ
- ホルマリンクレゾール（FC）
- 抗菌薬，鎮痛薬
- 歯面研磨剤（MIペースト）

エステル型の局所麻酔薬は注意すべき薬剤であるが，現在使用されている歯科用局所麻酔薬はすべてアミド（アニリド）型で，アレルギー反応を起こしにくい．一般的に，局所麻酔薬アレルギーとされている症例が，保存剤のメチル安息香酸エチル（メチルパラベン）に対するアレルギー反応であることが多いといわれている．これは，化粧品に含まれている防腐剤と同じであるため，化粧品にアレルギーのある場合は要注意である．アレルギー（体質）の疑いのある場合は，保存剤の入っていない歯科用局所麻酔薬（スキャンドネスト®）を用いる方がより安全である．

表1以外でも，研磨用バー，バキューム先端のチップ，局所麻酔薬カートリッジ内のストッパー，矯正治療時のエラスティック・バンド，印象材や根管充塡材等のゴム製品に対するラテックスアレルギー，デンタルコーンや歯周組織炎治療用ペースト等に対してアレルギー反応を示したとの報告がある．また，その他に遅延型（Ⅳ型）反応ではあるが金属アレルギーや接触アレルギー，口腔アレルギー症候群等の報告もある（**p.68** 参照）．

表2　局所麻酔薬によるアレルギー反応

I型	・アナフィラキシーとよばれ，症状は重篤な循環・呼吸不全を呈する ・即時型で，薬剤投与後，数秒もしくは数分以内に発症する ・抗原刺激により産生された IgE 抗体が肥満細胞，好塩基球に結合（感作）する 　→再度，抗原が侵入し，IgE 抗体に作用すると，これらの細胞よりヒスタミン等の chemical mediator が遊離する
IV型（p.70～73 参照）	・遅延型とよばれ，投与後1時間以上経ってから発症する ・接触性皮膚炎で投与部位に発赤，丘疹，膨疹，水疱を形成する ・抗原により感作されたTリンパ球より分泌されるリンホカインに集まってきたマクロファージが主体となり炎症を誘発する
アナフィラキシー様反応	・局所麻酔薬が直接，肥満細胞に作用して，ヒスタミンを遊離する ・症状はアナフィラキシーよりやや軽症の場合が多い

表3　アナフィラキシーの特徴

・致死的反応において呼吸停止または心停止までの中央値は，薬物5分，ハチ15分，食物30分との報告がある．蘇生に成功しても重篤な低酸素脳症を残すことがある　　　（Pumphrey RS. *Clin Exp Allergy*, 2000；**30**：1144-1150.）
・二相性アナフィラキシーは成人の最大23％，小児の最大11％のアナフィラキシーに発生する
・アナフィラキシーの遅延反応でアドレナリン投与を要したのは9.2％であり（中央値1.7時間，14分～30時間），うち76％は4時間以内であるが，7.4％は4～10時間のうちに重篤な反応をきたしている
　　　　　　　　　　　　　　　　　　　　　　　　（Brown SG, et al. *J Allergy Clin Immunol*, 2013；**132**：1141-1149.）

（日本アレルギー学会：アナフィラキシーガイドライン，2014）

表4　アナフィラキシーの症状

（発現頻度）	自覚症状	他覚症状
全身症状	熱感，不安感，無力感	冷汗
循環器症状（45％）	心悸亢進，胸内苦悶	血圧低下，脈拍微弱，頻脈→徐脈，チアノーゼ
呼吸器症状（70％）	鼻閉，喉頭狭窄感，胸部絞扼感	くしゃみ，咳発作，喘鳴，呼吸困難，チアノーゼ
消化器症状（45％）	悪心，腹痛，腹鳴，便意，尿意，口内異物感，異味感	嘔吐，下痢，糞便・尿失禁
粘膜・皮膚症状（80～90％）	皮膚掻痒感	皮膚蒼白，皮膚の一過性紅潮，じんましん，眼瞼浮腫，口腔粘膜浮腫
神経症状（15％）	口唇部しびれ感，四肢末端のしびれ感，耳鳴，めまい，眼の前が暗くなる	けいれん，意識喪失

アナフィラキシーを疑う症状

　アレルギー反応には4つの形式があるが，特に即時型のアナフィラキシーは致死的であることから，適切な判断と迅速な対応が予後を大きく左右する（**表2**）．前駆症状として気分不快，脱力感，顔面蒼白，血圧低下，喘鳴，頻脈，呼吸困難，胸痛等がみられるが，重症例ではショック症状を呈し，意識障害，けいれん，呼吸不全（死亡原因の大多数を占める）等を生じる（**表3，4**）．

対処法

アナフィラキシー発生時には，薬剤投与から症状の発現までが短いほど，経時的に急速に病態が悪化する場合が多いので，酸素投与を行いながらバイタルサイン（意識状態，血圧，脈拍，呼吸，動脈血酸素飽和度等）を測定，記録するとともに，119番通報や近医の応援を要請する．

アナフィラキシーに対して静脈あるいは筋肉注射する薬剤としては，アドレナリン（気管支拡張作用，ヒスタミン遊離抑制，心拍出量の増加等），副腎皮質ホルモン薬（気道粘膜浮腫の抑制と末梢循環不全の予防等），昇圧薬，気管支拡張薬，抗ヒスタミン薬等があるが，ファーストチョイスとしては従来より**アドレナリン**，製剤としては**ボスミン**®（1mg/mL）等が一般的である．

アナフィラキシーにおけるアドレナリンの初回投与量としては，0.1～1.0mgが推奨されているが，筋肉注射，静脈注射のいずれの場合も適切に希釈してから投与することが必要である．しかし日常，薬剤の希釈に不慣れな歯科医が緊急時に適切に薬剤の希釈をすることは難しい．

最近，蜂アレルギーに対するアドレナリン自己注射（定量自動注射器）の製剤である**エピペン**®の適用が拡大されたことに伴い，歯科医が購入し，自院内でアナフィラキシーが疑われた場合に投与することが可能になった．

エピペン®には体重30kg以上の患者に対してアドレナリン0.3mgを含有する**エピペン**®**注射液0.3mg**，体重15kg以上30kg未満の小児に対してアドレナリン0.15mgを含有した**エピペン**®**注射液0.15mg（図1）**がある．

鑑別

急性心筋梗塞，出血性の脳血管障害等の致死的な偶発症との鑑別が必要であるが，薬剤投与後の短時間の間に進行性のショック症状がみられ，特に呼吸困難，粘膜の浮腫，血圧低下を併せもって発現すること等が特徴的であることから，鑑別は比較的容易であるが，迅速な対応が肝要である．

予防策

歯科においては問診を十分に行い，既往のアレルギーの状況に応じて，リンパ球刺激試験（DLST）や皮膚反応試験（スクラッチテスト，皮内反応）等が行われているが，現時点ではアレルギー反応の検査に絶対的な方法はない．パイナップルやキウイ等の南国産の果物に対して，口の周囲がかゆくなる等の過敏反応を示す場合は，ラテックスアレルギーにも注意を要する（ラテックスフルーツ症候群）．

アレルギー反応を予知し，完全に防止することができないことから，歯科治療中にも不測の偶発事故が生じる可能性が高くなっている．そのため，歯科医院内にも救急用品や救急薬品を備えて，いつでも使用できるように適切に保守管理しておくとともに，使用法を熟知しておくことが必要である．

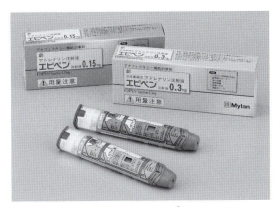

図1　エピペン®

ポイント

エピペン®使用上の注意

　アナフィラキシー症状が発現したり，疑いがある場合には，患者自ら安全キャップを取った後，注射針射出部を大腿部へ押しあてて，正確な量（0.3または0.15mg）のアドレナリンを筋肉注射することができる．やむを得ない場合には，服の上から投与することも可能である．添付文書には大腿部への筋肉注射に限定されているので，肩の三角筋や舌，口腔粘膜への投与は行うべきでない．

　なお，購入に際してはMylan社のウェブサイトからエピペンの登録前の受講と登録が必要であるが，歯科医は購入して自院内に常備し，患者に使用することができる．歯科治療時にアナフィラキシーを疑わせる症状が認められた場合，歯科医自身が酸素を投与しながらバイタルサイン（意識状態，血圧，脈拍，呼吸，経皮的動脈血酸素飽和度等）を測定・記録し，症状の推移を観察して，必要に応じて迅速にエピペン®の投与（筋肉注射）を行う．投与後は症状が改善しても必ず救急病院または総合病院を受診させる必要がある．

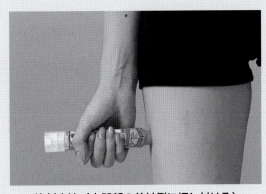

注射方法（大腿部の前外側に押し付ける）

COLUMN

静脈注射用抗菌薬の皮内反応試験

　静脈注射用の抗菌薬に対する事前の皮内反応試験の有用性が疑問視されていることから，事前の皮内反応試験はしないことになっている．その根拠としては，薬剤に対する過敏反応試験に絶対性がないためである．

　また，皮内反応試験でもアレルギー反応が生じることがあることと，陰性であっても実際の投与時にアレルギー反応が発生する危険性は皆無ではない，とされていることも理由である．

　しかし，日本では薬剤の使用時に添付文書の記載事項を遵守することが必要であることから，皮内反応試験を実施するかどうかの判断が難しい．

〈見﨑　徹・関野麗子〉

I. 症状からみた対処法

19 出血が止まらなくなったら

観血処置（抜歯，インプラント治療，歯周外科手術）において，通常の止血処置を行っても出血してくる，または十分な止血ができない状態．

原因

出血は抜歯やインプラント体埋入および歯周外科処置等の観血処置後，または，外傷や歯ブラシ等の患者自身による損傷等が原因としてあげられる．

止血困難な原因として局所的なものと全身的なものがある（**表1**）．

表1　出血の原因

局所的	局所の炎症／周囲組織や血管損傷／止血処置の不十分等
全身的	・出血性疾患 　　先天性または後天性：血友病，血小板減少性紫斑病，ビタミンC欠乏症等 　　続発性　　　　　　　：肝疾患，腎疾患等 ・抗血栓療法：不整脈，梗塞性疾患既往等 ・血圧の上昇（バイタルサインの測定）

症状

日常生活で歯ブラシ，洗口時の歯肉・粘膜からの出血や鼻出血や皮下出血が認められる．臨床では口腔内出血の特徴（**表2**）からどのような出血なのか判断する．

表2　口腔内出血の特徴

動脈からの出血　　　：**鮮紅色**の血液が血管断端から**拍動性に噴出**
静脈からの出血　　　：**暗赤色**の血液が血管の断端から**流れ出る**
毛細血管からの出血：**創面**からジワーと**滲み出して手術野にたまる**
骨面からの出血　　　：**骨面**からジワーと**滲み出して手術野にたまる**

対処法（表3，図1）

表3　止血法

局所止血法	圧迫止血（ガーゼ，止血用シーネ，歯周パック，縫合） 酸化セルロース綿（サージセル®），ゼラチンスポンジ（スポンゼル®），コラーゲン製剤（テルプラグ®，コラプラグ®，ヘリスタット®），フィブリン接着剤等 電気メスによる焼灼止血／結紮／レーザー（特にNd：YAGレーザー，炭酸ガスレーザー）／骨蝋（bone wax）（骨面出血）
全身的止血	薬剤（トラネキサム酸，カルバゾクロム）投与／凝固因子輸血

※多くの止血法があるが，特に縫合は慣れていないと余計に周囲組織を損傷して出血を助長することになるので注意が必要である．

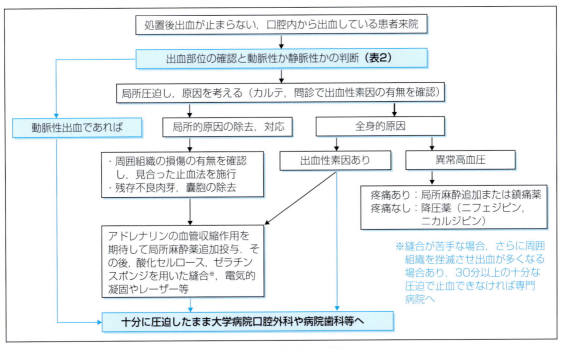

図1 止血困難な時の対処法

 予防策

① **問診で出血性素因が確認されている**

事前に文書でかかりつけ医に照会（観血的処置内容を詳細に書いて）する．
- ワルファリン内服患者の場合，PT-INRのコントロール状態
- 新薬の抗凝固薬（DOAC，**表4**）であれば休薬か継続か
- 高血圧症のコントロール状態
- 術後の鎮痛薬，抗菌薬について

② **術前**
- 止血困難が予想される場合，あらかじめ止血用シーネを準備する．
- 炎症状態は局所麻酔が奏効しにくいばかりか出血しやすいので事前に消炎しておくとともに，様々な止血法を準備しておく．

③ **術当日**
- 常用薬の休薬または内服状況を確認する．
- バイタルサインを測定，記録する．
- ワルファリン服用患者はできれば術直前にPT-INR（**図2**）を測定する．
- **ペニシリン系およびセフェム系の抗菌薬はワルファリンの効果を増強する**ことがあり注意する．
- **NSAIDsは抗血小板作用を有する**ため注意が必要である．特にインドメタシン，ジクロフェナクナトリウム等の併用注意．一方，アセトアミノフェンは抗血小板作用が弱いため短期間の使用は推奨されている．

Ⅰ. 症状からみた対処法

表4 わが国の代表的な抗血栓薬

```
抗凝固薬
    経口：ビタミンK拮抗薬　ワルファリンカリウム（ワーファリン®）
          直接経口抗凝固薬（DOAC）
          直接トロンビン阻害剤　ダビガトランエテキシラートメタンスルホン酸塩酸製剤（プラザキサ®）
          選択的直接作用型第Ⅹa因子阻害剤　リバーロキサン（イグザレルト®）
                                          アピキサバン（エリキュース®）
                                          エドキサバントシル酸水和物（リクシアナ®）

    注射用：ヘパリン製剤
            未分画ヘパリン　　ヘパリンカルシウム，ヘパリンナトリウム
            低分子量ヘパリン　ダルテパリン（フラグミン®等）
                              エノキサパリン（クレキサン®）
            抗トロンビン剤　　アルガトロバン（ノバスタン®，スロンノン®）
            ヘパリノイド　　　ダナパロイドナトリウム（オルガラン®）
            合成Ⅹa阻害剤　　 フォンダパリヌクスナトリウム（アリクストラ®）

抗血小板薬
    経口：アスピリン（バイアスピリン®，バファリン®81）
          チクロピジン塩酸塩（パナルジン®，チクロピン®）
          硫酸クロピドグレル（プラビックス®）
          ジピリダモール（ペルサンチン®等）
          シロスタゾール（プレタール®）
          イコサペント酸エチル（エパデール®，ロトリガ®）
          塩酸サルポグレラート（アンプラーグ®）
          トラピジル（ロコルナール®）
          ベラプロストナトリウム（ドルナー®，プロサイリン®）
          リマプロストアルファデクス（オパルモン®，プロレナール®）

血栓溶解薬
    ウロキナーゼ型プラスミノーゲンアクチベータ（u-PA薬）：ウロキナーゼ
    組織型プラスミノーゲンアクチベータ（t-PA薬）：モンテプラーゼ，アルテプラーゼ
```

（日本有病者歯科医療学会，日本口腔外科学会，日本老年歯科医学会編：抗血栓療法患者の抜歯に関するガイドライン2020年改訂版[70]より引用）

PT-INR（Prothrombin Time- International Normalized Ratio）

$$PT\text{-}INR = （ワルファリン服用患者血漿のPT［秒］／健常者血漿のPT［秒］）^{ISI}$$

PT比は，患者血漿の秒数を健常者の秒数で除したものである．これをISI（International Sensitivity Index：国際感度指数）で累乗したものがPT-INRで，単にINRともいう．

抜歯や小手術であれば**3.0未満**まで可能である．

簡易的PT-INR測定装置

コアグチェック® XS／コアグチェック® Pro IIは，毛細管血を10μL以上点着するのみでPT-INRが測定できる．これまでは中央検査室をもつ病院での検査に頼ってきた領域だが，歯科医院等，診療施設での検査が可能となった．しかも約1分間で測定結果が出るため，抜歯等，観血的処置のガイドラインに沿った可否を決定することができる．

図2　PT-INR

ポイント

抗血栓療法患者の抜歯に関するガイドライン2020年改訂版[70]

ワルファリンの凝固能はPT-INRが有用な指標である．しかし，新規経口抗凝固薬では正確な抗凝固能検査が確立されておらず，腎機能（eGFR）や体重が薬剤減量（適応量）の指標となっている．今後，抗凝固療法の凝固モニター法や緊急是正薬の開発が望まれる．

歯科治療に際しては，PT-INRが3.0以下であればワルファリン継続下に抜歯や小手術を行うことが推奨されていることに変わりなく，半減期の短い新規経口抗凝固薬では，なおさら継続下での抜歯や小手術を考慮すべきである．

近年，ステント挿入の冠動脈疾患あるいはアテローム硬化性頸動脈硬化症で抗血小板薬を服用している患者に，非弁膜症性心房細動を合併して抗凝固療法を併用する症例が増加しつつある．これらの臨床例では，出血性事象，特に頭蓋内出血や消化管出血の合併が大きな問題となっている．このことは，歯科口腔領域で使用する薬剤（消炎剤，抗菌薬等，**表4**参照）が口腔内出血に留まらずに，頭蓋内出血等の致死的な全身出血を増長する可能性を示唆する．歯科医師にとっても，抗凝固と抗血小板薬療法併用症例での歯科治療での薬物選択は慎重に対処すべきである．

直接経口抗凝固薬（DOAC）は，血中濃度に即した抗凝固作用を示す．内服後4時間までにピーク値に達し，5～17時間後に血中濃度は半減すると考えられている．このことから，DOAC内服後のピーク値（種類による）を避けて抜歯を行うと，出血性合併症が少なくなると考えられる．

＊抗血栓療法については，文献[70]を参照されたい．

〈鈴木正敏〉

20 興奮がみられたら

痛みや不安・緊張による交感神経緊張状態.

原因

局所麻酔薬中毒および添加されている血管収縮薬に対する過敏反応，ヒステリー，過換気症候群や脳貧血（様）発作の初期症状，不適切な精神鎮静法，精神・神経性疾患のコントロール不良時，等である．

対処法（図1）

1. 局所麻酔薬中毒

水平位にして気道を確保し，酸素吸入を行いながらバイタルサインを測定する．必要に応じて補助呼吸または人工呼吸を行う．けいれんがある場合には，点滴静脈路を確保して**ジアゼパム，ミダゾラム**（p.2 参照）を静脈注射する．

2. 血管収縮薬（アドレナリン）に対する過敏反応

症状は一過性（5〜15分以内に改善する）なので特別な処置は必要としないことが多い．半座位にして，酸素吸入を行いながらバイタルサインを測定し，経過を観察する．また，患者に状況を説明して落ち着かせる．

3. ヒステリー

バイタルサインに異常がなければ，患者を落ち着かせ，過度に関心を示さない．症状が改善しない場合には，必要に応じて**ジアゼパム，ミダゾラム**等を筋肉注射または静脈注射して鎮静を図る．

症状

1. 局所麻酔薬中毒の初期症状

下顎孔伝達麻酔時に，誤って下歯槽動脈等に強圧で薬液が注入されると逆流して内頸動脈内に入り，脳循環の血中濃度の上昇によって中枢神経症状が発現することがありうる．**リドカイン**では5〜10μg/mL以上の血中濃度で中枢神経症状が出現する．

注射後，数分以内に中枢神経系の刺激症状が出現し，興奮状態を呈する．感覚野の被感受性の亢進（温感，耳鳴り，めまい），不安感，多弁，吐き気等が出現する．血管運動中枢の刺激によって頻脈，血圧上昇を呈し，呼吸数と換気量が増加する．

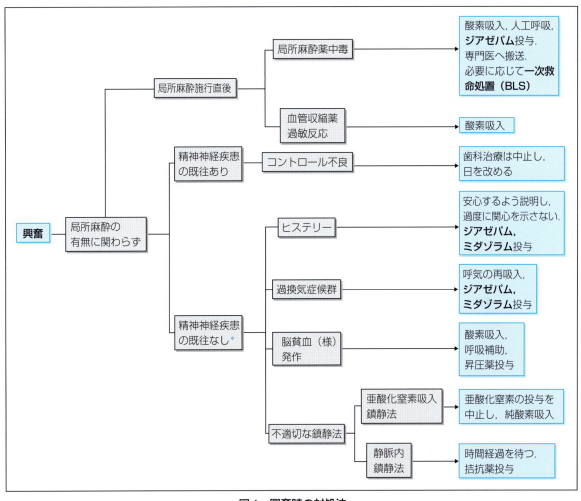

図1 興奮時の対処法

*精神神経疾患はなくても，歯科治療中にヒステリーや過換気症候群，脳貧血（様）発作を起こす患者は，神経質であったり，歯科治療や局所麻酔に極度の不安・緊張を抱いている等，治療前から精神的に不安定であることが多い．これらの患者に対しては精神鎮静法による管理が適応となるが，使用方法を誤ると，逆の結果を招く場合もあるので十分な注意が必要である．

2. 血管収縮薬に対する過敏反応

興奮，不安，恐怖心が強いため，内因性のカテコールアミンが多量に分泌された状態，あるいは，高血圧症患者，甲状腺機能亢進症患者，心疾患患者，モノアミンオキシダーゼ阻害薬や三環系抗うつ薬の服用患者では血管収縮薬に対して敏感に反応することがある．

症状としては，興奮，心悸亢進，不安，拍動性の頭痛，顔面蒼白，冷汗，呼吸数の増加，めまい，ふるえ，血圧上昇，頻脈，不整脈等である．注射直後より数分以内に症状が発現するが，アドレナリンの作用時間は短いため短時間（5〜15分くらい）で回復する．

3. 精神神経疾患

不安神経症等の患者で薬剤によるコントロールが不十分であったり，歯科治療当日の服用を忘れた時等に，緊張状態の亢進や疼痛刺激が引き金となり，交感神経系の過敏反応から興奮状態を呈すことがある．

4. ヒステリー（p.32，アームドロップテスト参照）

心因性疾患の一種であり，様々な症状を呈する．

興奮（泣きわめく，大声で笑う等），空虚，虚言，健忘等の精神症状や，体温異常，動悸，呼吸困難，嘔吐，けいれん等の身体症状がある．

「声が出ない，息苦しい」と大声で叫ぶ．「目が開かない」と，しわができるほど強く目を閉じる等，その症状は人前で誇張され，演技的である．生理的・解剖学的原則に一致せず，暗示で変化する等の特徴がある．

5. 過換気症候群の症状

筋硬直を伴い，呼吸困難感，口唇周囲や四肢末端のしびれ感を強く訴えるため興奮状態にみえることがある．

6. 脳貧血（様）発作の初期症状

脳貧血（様）発作で精神的な原因で発現する場合は，ごく初期の症状として興奮，血圧のわずかな上昇，脈拍数の増加等がみられる．これに引き続いて徐脈を伴った血圧低下が生じる．この結果，顔面蒼白，冷汗，呼吸浅速，脳血流量減少による悪心，周囲への無関心，意識喪失等が生じる場合もある．

7. 不適切な精神鎮静法

1）亜酸化窒素吸入鎮静法

感受性には個人差があり，たとえ 30％以下でも興奮状態になってしまい，筋緊張が高まり，開口しなくなったり，指示に従わなくなることがある．

処置としては亜酸化窒素の投与を中止して，純酸素を吸入させることにより数分で改善する．

2）静脈内鎮静法

ベンゾジアゼピン系抗不安薬（**ジアゼパム**，**ミダゾラム**等）の過量投与等により抑制が効かなくなり，興奮状態を呈す患者がいる．この時期を鎮静状態が浅いと誤解し，さらに鎮静薬を追加投与すると呼吸抑制等の重篤な偶発症を生じるので全身状態の注意深い観察が必要である．

処置としては，抗不安薬が代謝され鎮静効果が弱まるのを待つ．または拮抗薬（**フルマゼニル**）の投与を緩徐に行う．

予防策

1. 局所麻酔薬中毒
　下顎孔への伝達麻酔の際には，必ず吸引テストを繰り返し実施する．局所麻酔薬の投与量は必要最少量に留め，できるだけ緩徐（1mLを1分以上かけて）に行う．

2. 血管収縮薬による過敏反応
　治療に対する精神的ストレスを軽減し，内因性カテコールアミンの分泌抑制を図る．亜酸化窒素吸入鎮静法は低濃度（30％以下）亜酸化窒素による鎮静作用と，高濃度（70％以上）酸素吸入を行えるという意味からも有用である．

〈卯田昭夫〉

I. 症状からみた対処法

21 浮腫・気腫がみられたら

◆浮腫

血管外の細胞外液が増加し，皮下組織に水分が貯留した状態（俗称：むくみ）．

原因

体内水分の貯留を起こす成因は，全身性因子と，体内水分分布に異常をきたす局所性因子とに分けられる（表1）．また，浮腫をきたす病態は表2の通りである．

表1　浮腫の発生因子

全身性因子	局所因子
・腎臓における糸球体濾過量の減少 ・アルドステロンによるナトリウム再吸収増加 ・抗利尿ホルモン（ADH）による水分の再吸収の増加	・毛細血管透過性の亢進 ・血漿浸透圧の低下 ・毛細血管内圧の上昇 ・組織圧の低下 ・リンパうっ帯

表2　浮腫をきたす病態

1. 心臓性浮腫	うっ血性心不全の徴候として浮腫が起こる．下肢に現れ，心不全の悪化とともに全身に及ぶ．チアノーゼ，労作時呼吸困難，起坐呼吸を伴うことが多い．
2. 腎性浮腫	急性腎炎による浮腫は，組織圧の低い顔面，特に眼瞼部に強く現れるが，一過性のことが多い．
3. 肝性浮腫	低タンパク血症により発生する．腹水，腹壁静脈怒張，女性化乳房等，肝硬変の症状がみられる．
4. 内分泌性浮腫	甲状腺機能低下症の時は，皮下にムコ多糖の沈着があるため，指圧痕を残さない．
5. 血管神経性浮腫（クインケ浮腫）歯科治療中に起こる急性浮腫	特発性で，アレルギーや自律神経失調等で血管拡張と血管透過性亢進が原因．抜歯等の外科的侵襲が誘因となる． じんましん様の限局した浮腫で，緊張性，弾性軟，疼痛やかゆみはない．急激に発症し，通常，数時間で消失する．
6. 脚気による浮腫	ビタミンB_1欠乏によるもので，下肢に出現するものが多い．
7. 炎症性浮腫	局所の炎症

対処法（図1）

血管神経性浮腫（クインケ浮腫）は，特に治療の必要はないが，患者には状況を十分に説明して動揺を与えないようにする．稀に口底部，咽喉頭部の浮腫で，嚥下痛や呼吸困難感を訴えることがあるので，その場合，気道確保や酸素吸入を行う．

浮腫・気腫がみられたら

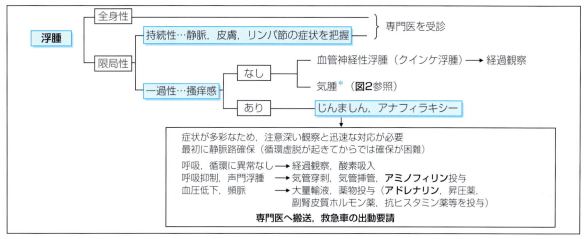

図1　浮腫発生時の対応

*本来，気腫は浮腫とは異なるが，歯科治療中に急激に皮膚が膨らんで観察されることから取り入れた

◆気腫（図2）

皮下，または組織間隙に空気あるいはある種のガスが侵入した状態．

原因

① 下顎埋伏智歯の抜去の分割に用いたエアタービンのエア
② 根管乾燥に用いたスリーウェイシリンジのエア
③ 抜歯窩や根管の消毒に用いた過酸化水素水（H_2O_2）の産生した気泡
④ その他：抜歯後，くしゃみをしただけで発症することもある

症状

① 急激に腫脹と疼痛が生じる
② 空気の侵入は，頸部・上胸部まで及ぶことがある
③ 雪を握った時の感覚（握雪感）を触知する

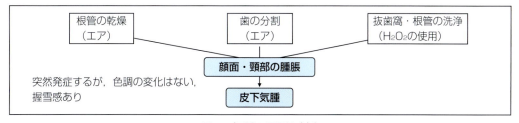

図2　気腫の原因と対応

対処法

突然の顔面，頸部の腫脹や疼痛で患者は心理的動揺をきたしている
まず，状況・予後を十分説明して患者を落ち着かせる
その上で，
① 局所に限局し，腫脹以外に症状がなく，患者も落ち着いている
  ・感染予防：抗菌薬を5日から1週間投与
    口腔連鎖球菌と嫌気性菌に感受性のあるβ-ラクタム系が第1選択薬
  ・安静指導：口腔内圧の上昇をきたす，息止め，咳・くしゃみ，口笛，吹奏楽の演奏を避ける
    脱気させようと腫脹部を押さない（気腫の範囲が拡大し，かえって重篤化する）
  ・急変時対応：通常自然治癒するが稀に帰宅後増悪するので，呼吸苦等が出たら，救急病院を受診するよう指導する
② 少しでも呼吸に関する症状がある（縦隔気腫，咽頭気腫の疑い）
  ・CT検査で気腫の範囲が確認できる施設への受診（呼吸苦が重篤であれば緊急搬送）
  ・気管挿管が必要な症例，失明や死亡例もあるので注意

予防策

① エアタービンの方向や深さに注意する．ミラー等で排出エアーの流れをブロック
② 歯の分割に5倍速マイクロモーターを使用する
③ H_2O_2を強圧で根管内に注入しない
④ 上顎は犬歯の根管治療，下顎は埋伏智歯抜去で好発（危険）

〈卯田昭夫〉

I. 症状からみた対処法

22 骨吸収抑制薬を使用している患者の抜歯をすることになったら

ビスホスホネート（BP）製剤は骨粗鬆症治療の第1選択薬であり，悪性腫瘍による高カルシウム血症，がんの骨転移，多発性骨髄腫，骨代謝による骨量減少等の場合でも使用されている．これに加えて抗RANKL抗体製剤が使われるようになり，これらを併せて骨吸収抑制薬とよぶ．

◆骨吸収抑制薬関連顎骨壊死（ARONJ：BRONJ+DRONJ）

近年では，血管新生阻害薬を加えてMRONJ［medication-related osteonecrosis of the jaw, 薬剤関連顎骨壊死］とする報告も多くなっている[58]．

※ ARONJ：anti-resorptive agents-related ONJ.
※ BRONJ：bisphosphonate -related ONJ.
※ DRONJ：denosumab-related ONJ.

症状（表1）

1. 痛み，軟組織の腫脹および感染，歯の動揺，排膿，骨露出である
2. 一部では歯・歯周疾患に類似した症状を呈するが，通常の歯科治療には反応しない
3. 感染はみられる場合とみられない場合がある
4. 数週間から数カ月の間，症状が認められないことがある．また，定期検査において顎骨露出がみられ発見されることもある
5. 症状は明らかな局所的誘因がなく，自然に発生する場合もあるが，多くは過去の抜歯部位で発生する

表1　ARONJの臨床症状（米田 他，2016[58]を改変）

・骨露出/骨壊死
・疼痛
・腫脹
・オトガイ部の知覚異常（Vincent症状）
・排膿
・潰瘍
・口腔内瘻孔や皮膚瘻孔
・歯の動揺
・深い歯周ポケット
・X線写真：無変化〜骨溶解像や骨硬化像

鑑別診断[58]

以下の3項目の診断基準を満たした場合に，ARONJと診断する．
1. 現在あるいは過去にBP製剤またはデノスマブによる治療歴がある
2. 顎骨への放射線照射歴がない．また顎骨へのがん転移がない
3. 口腔・顎・顔面領域に骨露出や骨壊死が8週間以上持続している（図1）．ただし，ステージ0に対しては，この基準は適用されない

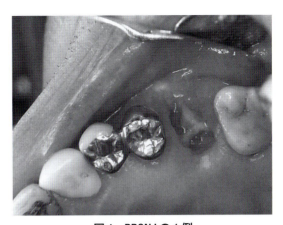

図1　BRONJの1例
前立腺がんの骨転移によりランマーク®皮下注120mg
を1回/月皮下投与を受けていた．4カ月前に|6が抜去さ
れ，その後，鈍痛と違和感を覚えたので来院．壊死骨が
口腔内に露出したARONJが確認された

 特徴[59)]

1. 日本におけるARONJの病期分類（表2）

　日本では，これまで経口製剤ではステージ2以上に進行することは稀とされていたが，ARONJと診断された約半数が経口BP製剤使用患者であったことは，世界の疫学とは大きく異なっている．

表2　日本におけるARONJの病期分類（黒嶋 他，2017[59)]より）

ステージ	臨床症状	画像所見
0	骨露出/骨壊死なし，深い歯周ポケット，歯の動揺，口腔粘膜潰瘍，腫脹，膿瘍形成，開口障害，下唇の感覚鈍麻または麻痺（Vincent症状），歯原性では説明できない痛み	歯槽骨硬化，歯槽硬線の肥厚と硬化，抜歯窩の残存
1	無症状で感染を伴わない骨露出や骨壊死またはプローブで骨を触知できる瘻孔を認める	歯槽骨硬化，歯槽硬線の肥厚と硬化，抜歯窩の残存
2	感染を伴う骨露出，骨壊死やプローブで骨を触知できる瘻孔を認める．骨露出部に疼痛，発赤を伴い，排膿がある場合と，ない場合とがある	歯槽骨から顎骨に及ぶびまん性骨硬化/骨溶解の混合像，下顎管の肥厚，骨膜反応，上顎洞炎，腐骨形成
3	疼痛，感染または1つ以上の下記の症状を伴う骨露出，骨壊死，またはプローブで触知できる瘻孔 歯槽骨を超えた骨露出，骨壊死（例えば，下顎では下顎下縁や下顎枝に至る．上顎では上顎洞，頬骨に至る）．その結果，病的骨折や口腔外瘻孔，鼻・上顎洞口腔瘻孔形成や下顎下縁や上顎洞までの進展性骨溶解	周囲骨（頬骨，口蓋骨）への骨硬化/骨溶解進展，下顎骨の病的骨折，上顎洞底への骨溶解進展

注：ステージ0のうち半分はONJに進展しないとの報告があり，過剰診断とならないよう留意する

I. 症状からみた対処法

◆ BP製剤・抗RANKL抗体製剤

日本で用いられているおもなBP製剤と抗RANKL（receptor activator of nuclear factor κB ligand）抗体製剤を**表3**に示す。

1. BP製剤投与患者の歯科治療時の対応

可能であれば歯科治療が終了して、口腔状態を改善してから骨吸収抑制薬のBP製剤や抗RANKL抗体製剤投与を開始することが望ましい。骨吸収抑制薬の休薬でARONJ発生を予防するという明らかな臨床的エビデンスはないが、原則的に注射用BP製剤投与を継続している場合は、侵襲的な歯科治療はできる限り避ける。2016年のポジションペーパーでは、いわゆる3年ルールが消滅したため、ARONJに対する医科・歯科連携が大切になる[60]。なお、2020年には抜歯そのものが顎骨壊死のリスク因子ではなく、本来抜去すべき歯の温存がかえって発症率を有意に増加させる報告もある[61]ことより、リスクファ

表3 日本で用いられている主なBP製剤・抗RANKL抗体製剤一覧

	剤形	一般名	商品名	製造販売社名
BP製剤	経口剤	アレンドロン酸ナトリウム水和物	フォサマック錠	MSD
			ボナロン錠	帝人ファーマ
			アレンドロン酸錠（ジェネリック）*	日本ケミファ，シオノ，テバ，共和，マイラン，大興，富士，東和，日医工，辰巳，陽進堂，沢井，日本ジェネリック
		エチドロン酸二ナトリウム	ダイドロネル錠	大日本住友製薬
		ミノドロン酸水和物	ボノテオ錠	アステラス製薬
			リカルボン錠	小野薬品
		リセドロン酸ナトリウム水和物	アクトネル錠	味の素製薬（販売：エーザイ）
			ベネット錠	武田薬品
			リセドロン酸Na錠（ジェネリック）*	マイラン，富士フィルムファーマ，ニプロ，全星，高田，東和，日医工，日新，明治，大興，ケミファ，富士，沢井，ファイザー，共和日本ジェネリック，陽進堂，テバ，シオノ，杏林，サンド，田辺
		イバンドロン酸ナトリウム水和物錠	ボンビバ錠100mg	中外
	注射剤	ゾレドロン酸水和物	ゾメタ点滴静注用	ノバルティスファーマ
			リクラスト点滴静注5mg	旭化成ファーマ
		パミドロン酸二ナトリウム水和物	パミドロン酸二Na点滴静注用「F」	富士製薬工業
			パミドロン酸二Na点滴静注用「サワイ」	沢井製薬
		イバンドロン酸ナトリウム水和物	ボンビバ静注1mgシリンジ	中外，大正
		アレドロン酸ナトリウム水和物キット	ボナロン点滴静注バッグ900μg	帝人ファーマ
			アレドロン酸点滴静注バッグ900μg	大興，光
抗RANKL抗体製剤	注射剤	デノスマブヒト型モノクローナル抗体	ランマーク皮下注120mg	第一三共
			プラリア皮下注60mgシリンジ	第一三共

*ジェネリック医薬品については、個々の製品名を省略した（最近、多くのジェネリック医薬品が発売されているので、必ず処方の必要性、休薬の可否を処方医に確認する）

クターがある場合には，処方医と担当歯科医で主疾患の状況と侵襲的な歯科治療の必要性を踏まえ，患者への十分なインフォームドコンセントによる対応が重要となる**（表4）**.

2. ARONJ発生患者の治療について

1）治療指針
以下の3項目に集約される.
（1）骨壊死の進行を抑える
（2）痛みや知覚異常の緩和や感染抑制により，患者のQOL（生活の質）を維持する
（3）患者教育および経過観察を行い，口腔内清掃を中心とする口腔ケアを徹底する

2）ARONJの治療法
表2で示したステージ0〜3まで，段階を追って治療法が異なるので，診断に応じた治療を行うことが肝要である．ステージ別の治療法については**表5**に示す．

表4　骨吸収抑制薬投与患者の抜歯時の対応例（矢郷，2017[60]）

- 処方医師との緊密な連携
- リスク因子の考慮
  抜歯後に顎骨壊死を発症するリスク因子があるかどうか？
- 書面によるインフォームドコンセントの確立
- 抜歯前の口腔ケアを徹底する
- 予防的抗菌薬の投与
  抜歯前よりペニシリン系抗菌薬を投与する．ペニシリンアレルギーを有する場合にはレボフロキサシンを投与する
- 抜歯窩にオキシテトラサイクリン塩酸塩挿入剤（オキシテトラコーン歯科用挿入剤5mg）を挿入する
- 血餅を保持するように縫合，閉創する
- 定期的な口腔内診査と口腔内衛生指導
  抜歯窩の骨治癒を確認する
- 骨吸収抑制薬の再開を医師と相談する

表5　ARONJ病期のステージングとその治療法（米田 他，2016[58]）を基に作成）

	ステージング	治療法
ステージ0（注意期）	骨露出/骨壊死は認めない オトガイ部の知覚異常（Vincent症状），口腔内瘻孔，深い歯周ポケット 単純X線写真で軽度の骨溶解を認める	抗菌性洗口剤の使用 瘻孔や歯周ポケットに対する洗浄 局所的な抗菌薬の塗布・注入
ステージ1	骨露出/骨壊死を認めるが，無症状 単純X線写真で骨溶解を認める	抗菌性洗口剤の使用 瘻孔や歯周ポケットに対する洗浄 局所的な抗菌薬の塗布・注入
ステージ2	骨露出/骨壊死を認める 痛み，膿排出等の炎症症状を伴う 単純X線写真で骨溶解を認める	病巣の細菌培養検査，抗菌薬感受性テスト，抗菌性洗口剤と抗菌薬の併用 難治例：併用抗菌薬療法，長期抗菌薬療法，連続静注抗菌薬療法
ステージ3	ステージ2に加えて，皮膚瘻孔や遊離腐骨を認める 単純X線写真で進展性骨溶解を認める	新たに正常骨を露出させない最小限の壊死骨掻爬，骨露出/壊死骨内の歯の抜去，栄養補助剤や点滴による栄養維持 壊死骨が広範囲に及ぶ場合：辺縁切除や区域切除

〈別部智司〉

I. 症状からみた対処法

23 高血糖・低血糖が疑われたら

- 医科照会への血糖値の参考値‥‥空腹時≧126mg/dL
   随時≧200mg/dL
- 糖尿病‥‥インスリンの作用不足により慢性的に高血糖状態を主徴とする代謝疾患群．

原因

① Ⅰ型糖尿病：インスリンを合成・分泌する膵ランゲルハンス島β細胞の破壊・消失がインスリン作用不足の主要な原因である．
② Ⅱ型糖尿病：インスリン分泌低下やインスリン抵抗性をきたす素因を含む複数の遺伝因子に，過食，運動不足，肥満，ストレス等の環境因子および加齢等が加わり発症する．
③ 遺伝子異常や他の病気が原因の糖尿病：遺伝子異常，免疫異常，感染症，肝臓等の病気が原因で発症する．薬剤が原因の場合もある．
④ 妊娠糖尿病：妊娠の影響で発症する糖代謝異常．妊娠中に発見され，新生児に合併症が出ることもある．

2012年に改定された糖尿病の診断基準を**図1**，血糖コントロール目標を**図2**に示す．

症状

1. 糖尿病の初期症状

多尿，口渇，多飲，全身の倦怠感，だるさ等．

2. 代表的な急性症状

特にインスリン使用中の患者では，低血糖ショックに注意が必要である．
糖尿病の患者において，大量の冷汗，手足のふるえ，動悸，意識障害等を認めた場合，低血糖ショックの可能性がある．
（慢性の三大合併症としては，網膜症→失明，腎症→血液透析，末梢神経障害→下肢の切断等）

3. 急性症状がみられる血糖値の目安

1）低血糖

①異常な空腹感（70mg/dL以下）→②無気力，倦怠感（50mg/dL以下）→③冷汗，動悸（40mg/dL以下）→④異常行動や意識障害（30mg/dL以下）→⑤昏睡（20mg/dL以下）へと進行する．

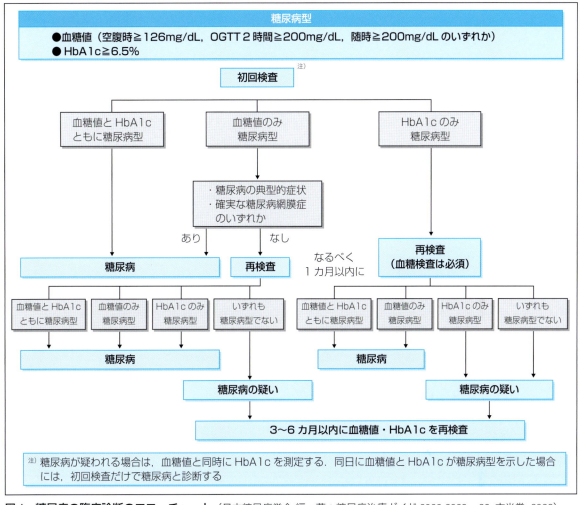

図1 糖尿病の臨床診断のフローチャート（日本糖尿病学会 編・著：糖尿病治療ガイド 2022-2023. p26, 文光堂, 2022）

2）高血糖（300mg/dL 以上）

①初期にはのどの渇き→②吐き気，嘔吐→③激しい腹痛→④呼吸困難，意識障害→⑤昏睡へと進行する．

　空腹時血糖値，HbA1c の値にもよるが，自己管理による運動療法，食事療法，体重コントロール等の生活習慣改善による非薬物療法を優先して，症状が進行する場合は薬物療法を行う．

I. 症状からみた対処法

目標	コントロール目標値 注4)		
	血糖正常化を 目指す際の目標 注1)	合併症予防 のための目標 注2)	治療強化が 困難な際の目標 注3)
HbA1c (%)	6.0 未満	7.0 未満	8.0 未満

65歳以上の高齢者については「高齢者糖尿病の血糖コントロール目標」を参照

治療目標は年齢，罹病期間，臓器障害，低血糖の危険性，サポート体制等を考慮して個別に設定する

注1) 適切な食事療法や運動療法だけで達成可能な場合，または薬物療法中でも低血糖等の副作用なく達成可能な場合の目標とする
注2) 合併症予防の観点からHbA1cの目標値を7%未満とする．対応する血糖値としては，空腹時血糖値130mg/dL未満，食後2時間血糖値180mg/dL未満をおおよその目安とする
注3) 低血糖等の副作用，その他の理由で治療の強化が難しい場合の目標とする
注4) いずれも成人に対しての目標値であり，また妊娠例は除くものとする

図2 血糖コントロール目標（日本糖尿病学会 編・著：糖尿病治療ガイド2022-2023, p33, 文光堂, 2022.）

対処法（図3）

意識障害なし* → 不安 → 安静（経過観察）
→ 空腹感 → 砂糖や糖分を含んだアメや飲料を摂取
→ 無気力，倦怠感 → 砂糖や糖分を含んだアメや飲料を摂取（誤飲に注意）

意識障害あり → 大量の冷汗　手足のふるえ → 低血糖ショック**
（ブドウ糖投与：5%ブドウ糖500mLを250～500 mL/時で点滴静注
ショック時の対応（p.30，「患者の応答が鈍くなってきたら」参照）
119番通報
→ 一次救命処置（BLS）のフローチャートへ（p.98 参照）

図3 低血糖時の対処法

*意識障害がなく経口摂取が可能な場合は，砂糖や糖分を含んだアメや飲料を摂取させる
**糖尿病患者は，軽度の侵襲によって低血糖または高血糖状態になり昏睡を引き起こす可能性がある
→どちらかの判断がつかない場合は，低血糖状態の処置（ブドウ糖投与：5%ブドウ糖500mLを250～500mL/時で点滴静注等）から行う
→低血糖の処置（ブドウ糖投与）で回復しない場合は，直ちに医療機関を受診させ，高血糖の処置（補液による電解質管理とインスリン補充が中心）を考慮する

予防策

初診時の問診（医療面接）と文書（診療情報提供書）による医科主治医への照会により，現在の全身状態，服薬内容等を把握する．

また，患者の日常生活の状況（経口摂取した食事，飲料の内容を記録しておく）等を把握しておくことも大切である．

特にのどの渇き，メタボリックシンドローム，視覚異常，日常的な高カロリー食等の有無をチェックする．

簡単なスクリーニング検査

患者が自己血糖を測定するために使用する簡易血糖測定器は，簡便ではあるが正確さにおいて劣るため，歯科医院には院内専用のグルコース分析装置（図4）を備えておくことが望ましい．

患者に糖尿病の疑いがある場合は，患者の了解を得た上で血糖値を測定し，基準範囲外の値の場合はそのデータを添付して医科に照会する（参考値：空腹時≧126mg/dL，随時≧200mg/dL）．

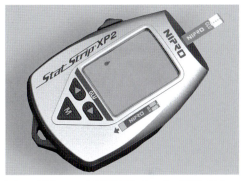

図4 グルコース分析装置（ニプロ社製，スタットストリップ XP2）
短時間で痛みも少なく，簡便で，より正確に血糖値を測定できる

歯科治療時の注意点

糖尿病は，重症になるまで症状が発現しにくく，なおかつ重症患者においては，易感染性，創傷治癒不全，虚血性心疾患等の問題がある．さらに歯科治療のストレスによる血糖値の変動，歯科疾患による摂食困難からの血糖コントロール不良等に陥ることがあるため，様々な配慮が必要である．

糖尿病と全身との関わり

●ポイント～歯周病は糖尿病の6番目の合併症～

糖尿病の合併症として，網膜症，腎症，末梢神経障害，大血管障害，小血管障害に次ぐ6番目の合併症が歯周病であるといわれている．現在，糖尿病は喫煙と並び，歯周病の二大危険因子であり，歯周病と糖尿病は密接な相互関係があるとされている．また，慢性炎症である歯周病を治療すると，糖尿病のコントロール状態も改善することが報告されている．そのため糖尿病患者で歯周病に罹患している場合は，医科歯科連携を行い，早期に歯周病の改善を図る必要がある．今後，多職種が相互に継続して連携していくことが，患者を適切な診断・治療・予防へと導き，さらには長期のフォローを行っていく上でも今まで以上に重要になると考える．

I. 症状からみた対処法

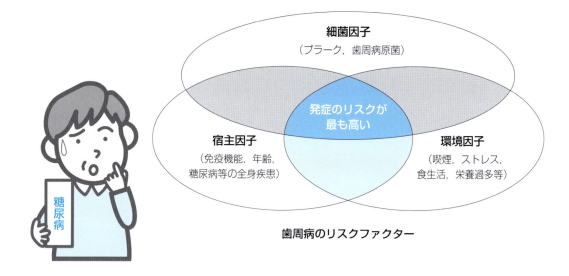

歯周病のリスクファクター

 糖尿病における多職種連携

近年，歯周病を始めとする口腔疾患が全身疾患と深く関連していることが明らかにされている．糖尿病の治療では，患者自身が正しい知識を理解し，主体的に生活習慣の改善に取り組むことが特に大切である．そのためには，医師，歯科医師，看護師，歯科衛生士，薬剤師，管理栄養士等の様々な専門職が連携し患者を支援していく必要がある．

> **ポイント**
>
> 歯科治療の際は，食事直前の時間帯を避ける．また，当日の体調，食事を摂取した時間，糖尿病治療薬の服用の有無等の確認を行う．
>
> **局所麻酔薬の使用**
> アドレナリンは，血糖値を上昇させる作用があるので，症例に応じて使用量を少なくしたり，他の局所麻酔薬（シタネスト-オクタプレシン®またはスキャンドネスト®）を選択する．
>
> **易感染性**
> 観血的処置を行う場合，前処置（口腔内清掃等）を厳密に行うとともに抗菌薬の術前投与を考慮する．

〈松﨑　哲・見﨑　徹〉

II 救命処置

＊この項は，「一次救命処置ガイドライン2020準拠 付録動画」を参考にしてください．

一次救命処置（BLS）のフローチャート

歯科治療中に患者が急変！

循環なし　呼吸なし
（小児：脈は触れるが60回/分以下）

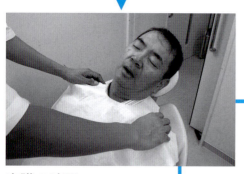

意識の確認

意識なし → 水平位

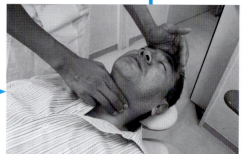

総頸動脈を触知
呼吸の確認
（5〜10秒）

体動あり
体動あり

応援を呼ぶ
AEDの手配

意識あり

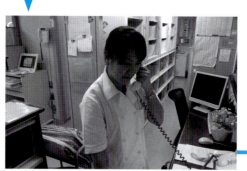

救急車の出動要請（119番通報）

循環あり
呼吸あり／なし

患者監視（蘇生後のケア）

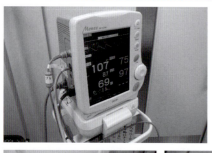

モニタリング
（2分ごとに
バイタルサイン
チェック）

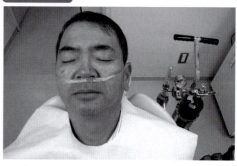

呼吸あり

血圧測定
心電図波形の確認

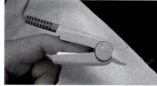

脈拍数および経皮的
動脈血酸素飽和度測定

酸素投与（2〜6L/分）
経鼻カニューラまたは
フェイスマスク

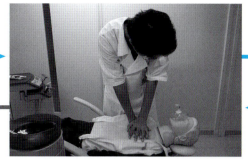

（1人法）胸骨圧迫
　100～120回/分の速さ　30回圧迫
　（成人…5～6cmの深さ
　　小児…胸の厚さの約1/3の深さ）

胸骨圧迫の中断は10秒以内

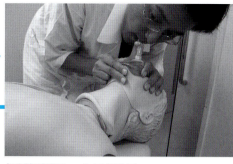

気道確保・人工呼吸
　1回/1秒
　2回吹き込む

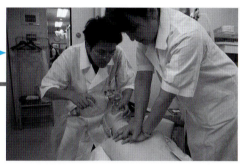

（2人法）胸骨圧迫：人工呼吸＝30：2（成人）
　　　　　　　　　　　　　　　15：2（小児）

応援を呼んだ人は一次救命処置に合流
AEDがあれば持っていく

電気ショック後直ちに

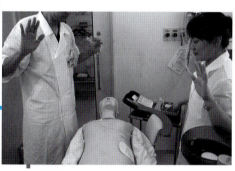

電気ショック
　AED到着後，音声アナウンスに
　従い患者に装着/解析
　ショックが必要であれば必ず周
　囲の安全確認後に電気ショック

呼吸なし あるいは弱い

呼吸の補助（人工呼吸）：過換気を防ぐ
　1回/6秒（成人）
　1回/2～3秒（小児） ｝で吸入

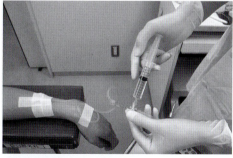

静脈注射あるいは筋肉注射による
薬剤投与

BLSを実施，患者を監視する時は
必ず時系列に沿って記録する

Ⅱ. 救命処置

1 COVID-19 流行下での救急蘇生法

　COVID-19 流行下での歯科診療所での救急蘇生法は，急変患者が「感染があるもの」として空気感染防止策に準じたエアロゾル感染防護策が求められる．外来患者は入院患者と異なり，PCR 検査等で陰性証明がなされていないからである．しかし，N95 マスクや液体非透過性ガウンを始めとしたエアロゾル対応の個人防護具（PPE）は，歯科診療所には必ずしも十分に揃っていない．もし揃えたとしても日常的に着脱していないので装着に時間がかり，時に使用法を間違える可能性もある．さらに診療室は病室のような個室ではなくオープンスペースであり，また歯科医師を含むスタッフが日常的に蘇生業務に携わっていないこと等にも留意しなければならない．同様の事情は歯科診療所だけでなく中小病院や医科診療所，介護施設等でも一部該当する．

　そこで歯科診療所での BLS は，最低限度の防護としてサージカルマスクと手袋の着用での実施が容認されると考える．なお ALS は感染リスクが上昇するので，エアロゾル対応 PPE 着用等，病院での対応に準じる．具体的には以下の通りである．

　①医療従事者は N95 マスク等エアロゾル対応 PPE がなければ，手袋，サージカルマスク，眼の保護具等，可能な範囲で PPE を使用する．
　②患者がマスクを装着していればそのままとし（図），マスクを装着していなければ患者の口・鼻をマスク，ハンカチやタオル，衣服等で覆う．これは胸骨圧迫時のエアロゾル対策として重要である．
　③反応の確認，通報，患者に触れずに行う呼吸確認，AED 操作等，感染危険性が低い行為は直ちに行う．患者の顔に医療者の顔があまり近づきすぎないようにする．
　④人工呼吸は感染対策が十分にできなければ実施しない．AED 操作中以外は胸骨圧迫を継続する．
　⑤胸骨圧迫は手袋，サージカルマスクを装着し，前記②の患者エアロゾル対策を行った上で実施する．
　⑥救急隊に引き継いだ後は PPE を適切に処理し，また医療者自身の手指消毒を徹底する．
以上を院内で情報共有しておく．

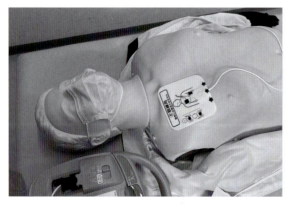

図　感染予防対策を行った上での救急蘇生
　COVID-19 流行下での救急蘇生法は，急変患者が「感染があるもの」として空気感染防止策に準じたエアロゾル感染防護策が求められる．胸骨圧迫時や電気ショック時の体動でエアロゾルが口や鼻から放出される可能性があるので，患者にはマスクをする

このような簡素化された感染防護でCPRを行うことで，医療従事者が感染する可能性がないわけではない．しかし救急隊の現場到着時間が平均8.7分（総務省2019年統計）であることより，心肺蘇生を行わないことが患者の救命率に大きく影響しうることにも留意しなければならない．また心肺蘇生には感染危険性が低い行為（前記③参照）もあり，これらのみを行うという選択肢もある．

　簡素化された感染防護でのCPRについて統一見解はない．職員の感染防護と迅速な心肺蘇生の併存を求め，歯科診療所内で十分な話し合いのもとコンセンサスを形成した上で，院内の救急対応マニュアルを決めておくことが望まれる．

<佐久間泰司>

＊本稿は日本歯科医師会雑誌74巻6号（2021年9月号）p.40-41の再掲である．

2　意識の確認

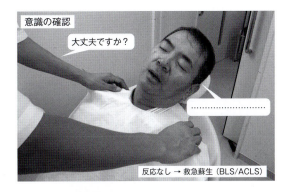

図1　患者が急変したら，直ちに診療を中止し，まず**意識の有無を5秒以上10秒以内で確認**する．
意識は，
①大声で呼びかける
②肩を揺さぶる，叩く
③胸骨へ痛み刺激を与える
ことで評価する．

図2　意識がない場合，**応援**を求め**AED（自動体外式除細動器）の手配**および**119番通報**を行う．意識がある場合でも心臓発作所見（胸痛等），脳卒中所見（半身麻痺，会話困難等）が疑われる場合は通報する．
　携帯電話が手元にある場合は，スピーカーモードに設定して119番通報し，傷病者の脇に置く．救助者の両手がフリーとなり，指令員の指示に従いながら通報と救命処置を同時に行うことが可能である．通話は途中で切らないこと．

Ⅱ．救命処置

図3　119番で救急車の出動を要請する場合，以下の内容を迅速かつ正確に伝える．
①急変時の患者の全身状態
　（JCS → P31 参照・バイタルサイン等）
②診療所の住所・目印，連絡先，担当医の氏名
③急変し始めた時間（何分前からか）
④患者に行ったそれまでの処置内容
　（酸素投与，投薬内容，救急蘇生実施中等）
⑤歯科治療内容（麻酔時，補綴処置等わかりやすく）
⑥患者氏名・年齢・身長・体重
⑦既往歴・常用薬剤の有無

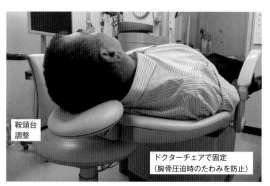

図4　一般に一次救命処置（BLS）は硬い床の上で行う方が効果的である．患者をチェアから降ろす際，上半身，特に頭頸部をしっかりと保持する．
　患者をチェアから降ろすことができない場合，この後の胸骨圧迫をより効果的に行うために，ドクターチェアを背もたれにかませて水平に倒す．同時に鞍頭台を調節し気道を確保しやすくする．座位から水平位にする際に要するチェアの作動時間は**約8～10秒**であるため，素早く位置決めをする．

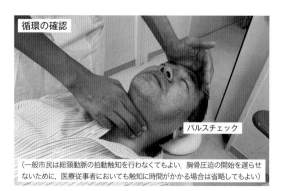

図5　**循環の有無を確認**する．輪状軟骨を触知し，その2横指外側に縦に走行している**総頸動脈の拍動**を3本の指の腹を使って触知する（パルスチェックという）．
　同時に呼吸を確認する．呼吸は，①胸の動きをみる　②呼気を感じることで評価する．呼吸が正常ではなく，浅くあえいでいる状態（あえぎ呼吸＝死戦期呼吸）であれば「呼吸なし」とみなす．
　これらを **5秒以上10秒以内**で確認する．

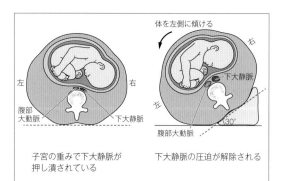

図6　妊婦が心停止した場合，目視でわかる妊婦（第20週以降：子宮が臍の高さかそれ以上）が仰向けになると，子宮が腹部の下大静脈を押し潰し，胸骨圧迫による心臓への血流を妨げる可能性がある．2人以上の救助者がいる場合には，1人が用手的子宮左方移動（下大静脈の圧迫を解除するために子宮を左側に用手圧迫）を継続しながら，もう1人がBLSを継続する．妊婦が蘇生したら左側臥位にする．

3 胸骨圧迫

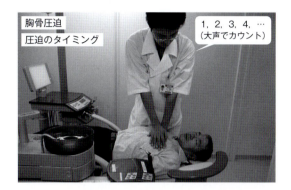

本章では，傷病者に対し1〜2人の救助者で救命処置を行っている．その現場に処置を行えるスタッフが複数人揃っているのであれば，役割を分担して同時に対応した方がよい．

図7 圧迫のタイミング
総頸動脈の拍動が触知できないか，わからなければ，直ちに胸骨圧迫を開始する．
質の高い胸骨圧迫を行うためには，位置，方向，強さ，速さが重要である．

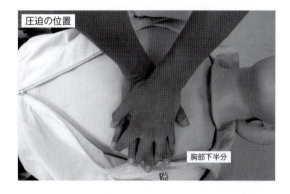

図8 圧迫の位置
正確な位置での圧迫と，この後に行う電気ショックのパッドの装着が円滑に行われるために，衣類を脱がせるか，はさみ等で切る．一刻を争う場合は，まず衣類の上から胸骨圧迫を行っても構わない．ただしAED（除細動器）のパッドを貼る際は服の上には貼らず，皮膚の上に貼るために服を脱がせる必要がある．
胸部の下半分に一方の手（掌尾）をあて，この手の上にもう一方の手を乗せて組み，指先が胸に触れないようにする．

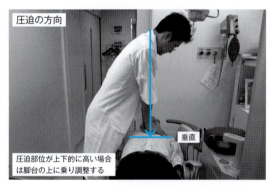

図9 圧迫の方向
術者の肩が患者の真上となるようにし，腰を支点にして，組んだ腕の肘を曲げずに患者に向かって**垂直に圧迫する**．
チェア上での胸骨圧迫は，床面から70〜80cm高い場所で行うことになる．身長が低い術者が圧迫する場合，術者の肩が患者の真上とならず適切な強さをかけることができないため，チェアの脇に脚台等を用意して，適切に圧迫できるように高さを調整する．

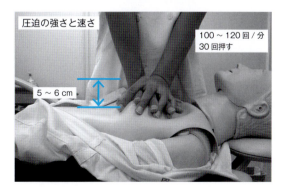

図10 圧迫の強さと速さ
強さ：**胸部が5〜6cm沈む強さ**で，**圧迫後**は手掌が胸に軽く触れた状態まで**胸郭を完全に元に戻す**．
速さ：1分間に100〜120回の割合で，30回押す．

Ⅱ．救命処置

表　質の高い胸骨圧迫をサポートする器具

製造販売元		日本光電	日本ライフライン	レールダル
製品		シーピーアールアシスト CPR-1100	シーピーレスキュー CPR-101	シーピーアールメータ2 CPRメーター2
使用者	一般市民	×	○（講習受講者）	○（講習受講者）
	医療従事者	○	○（講習受講者）	○（講習受講者）
音声ガイダンス		○	○	×
表示ガイダンス		LED （オレンジ色・青）	LED （オレンジ・白・青）	LCD （TFTディスプレイ）
ディスプレイ表示内容		適切な胸骨圧迫か否かを2色で表示 （適切な胸骨圧迫の場合，青とオレンジの両方が光る）	適切な胸骨圧迫深度を16個のLEDで白とオレンジで表示（1メモリごと深さ表示） 胸骨圧迫テンポを青とオレンジで表示	適切な深さ・解除と頻度 圧迫中断時間 圧迫回数表示
データ通信		Bluetooth通信	USB接続	Bluetooth通信
防塵・防水特性		IP55	IP55	IP55
機能		圧迫深度計測 圧迫頻度計測 圧迫中断時間 傾き検出	圧迫深度計測 圧迫頻度計測 圧迫中断時間	適切な深さ・解除と頻度 圧迫中断時間 圧迫回数カウンター
保存データ	最大	40件	200件	20件
	イベント情報	最大13.5時間 （1件最長90分）	最大約400時間 （1件最長120分）	300分
連続動作時間		5時間以上 （25℃，指定の電池を使用し通信していない状態）	約2時間	30分間のCPR×10回
スタンバイ状態の電池寿命		―	2年間不使用時に30分間連続使用可	2年間不使用時に30分間連続使用可
落下テスト		―	1.5m	1m
電源		単4アルカリ乾電池2本	単4アルカリ乾電池2本	単4アルカリ乾電池2本
寸法（幅×高さ×奥行）		71×126×32mm	150×60×35mm	64×153×25mm
質量		166g	152g	162g
ガイドライン2015対応		○	○	○
小児対応		小児使用不可	新生児，並びに8歳未満または25kg未満の小児使用不可	新生児，並びに8歳未満または25kg未満の小児使用不可
製造会社	会社名	日本光電工業株式会社	日本ライフライン株式会社	Laerdal Medical AS
	国	日本	日本	ノルウェー
同梱品		CPRアシストビューア 胸部シート5枚 ハンドクッション	専用ポーチ，USBケーブル，ソフト用CD，取扱説明書，書類一式（保証書），添付文書	CPRメータソフトケース，単4乾電池2本，患者粘着シート3枚，取扱説明書，重要事項説明書
耐用年数		6年，または圧迫回数75万回の早いほう	8年	5年

4-1 気道確保

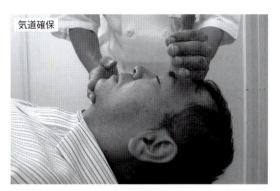

図 11, 12 意識がない場合,骨格筋が弛緩して舌根沈下による気道閉塞を起こしているため**気道確保**を行う.口腔内に異物が見える場合は素早く除去する.

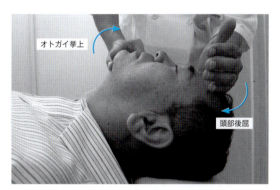

図 13, 14 気道確保は一方の手を額に押しあて頭部を後屈させ,もう片方の手指でオトガイを挙上することにより,塞がれていた気道が開通する(頭部後屈・オトガイ挙上).

4-2 人工呼吸

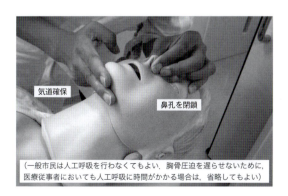

(一般市民は人工呼吸を行わなくてもよい.胸骨圧迫を遅らせないために,医療従事者においても人工呼吸に時間がかかる場合は,省略してもよい)

図 15 呼気吹き込み法(マウストゥーマウス)
　吹き込む時は,オトガイ挙上している手の指で気道確保をしつつ,頭部後屈で額にあてている手の指で鼻翼を押さえ,鼻孔を閉鎖する.

II. 救命処置

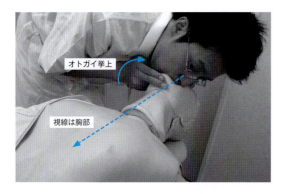

図 16 呼気が漏れないよう患者の口全体を自分の口で覆う．呼気（酸素濃度：16〜19％）を吹き込み，胸部が軽く上がる（膨らむ）ことを確認する．口を離すと胸の弾性で患者の呼気が排出される．**1回あたり約1秒で2回吹き込む．**

人工呼吸を行う間は，胸骨圧迫が中断されるので，**2回の吹き込みを10秒以内**で行う．

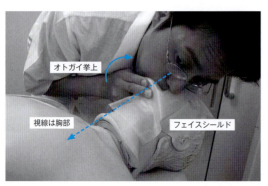

図 17 人工呼吸時の問題点は**感染**である．フェイスシールド（図示），一方向弁つきの呼気吹き込み用具（**図 18**）を使用することにより，口元が直接患者に触れないため感染のリスクを減らすことができる．呼気を吹き込む時は患者の鼻孔を封鎖する．診療用の不織布マスクを介在させて人工呼吸を行おうとする場合，大量の呼気を吹き込まないと胸郭がなかなか上がらないため，数回の吹き込みでかなりの疲労を伴う．現場に防御具がなく，感染リスクが考えられる時は人工呼吸を省略してもよい．

「COVID-19 対応の」救急蘇生法は p.100 を参照．

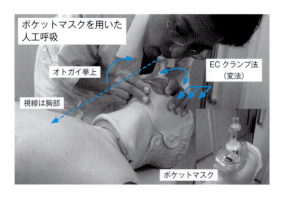

図 18 **ポケットマスクを用いた人工呼吸**

ポケットマスクの縁が患者の鼻と口をすっぽり覆うように密着させる．その際，ポケットマスクの縁が患者の目にかからないようにする．

気道確保しながら，マスクの隙間から吹き込んだ呼気が漏れないように，しっかり保持する．ポケットマスクの吹き口から呼気を吹き込む．

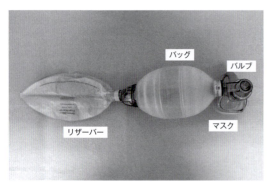

図 19 **バッグバルブマスク（アンビューバッグ®）**

救助者が複数人いる場合は，バッグバルブマスクを用いて，空気（酸素濃度約 21％）を肺に送り込むことができる．

さらにバッグバルブマスクに酸素を接続すれば，より高濃度（約 35〜40％）の酸素を投与することが可能となる．

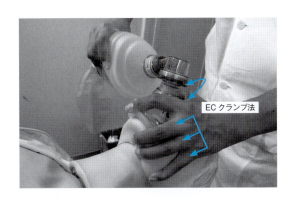

図20 バッグバルブマスクは**患者に対し12時の方向からアプローチ**し，左手でマスクを固定し，右手でバッグを持つ．この時，左手の親指と人差し指でマスクを保持し，中指から小指までの3本の指を下顎下縁にあててオトガイを挙上する（ECクランプ法）．気道確保しながら**バッグを1回につき1秒かけて2回押す**．

適切に気道確保を行い，マスクをしっかり密着できれば，バッグを押すたびに胸が上がる（膨らむ）ことが確認できる．バッグを押す量は半分程度でよい．なお，バッグバルブマスクを使用する際は**過換気にならないように**注意する．

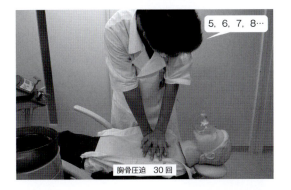

図21 胸骨圧迫と人工呼吸は30：2の割合で5サイクル（約2分間）行う．

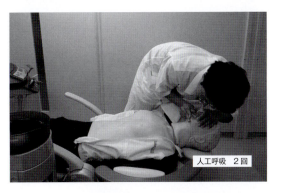

図22 人工呼吸に伴う胸骨圧迫の中断は**10秒以内**とする．

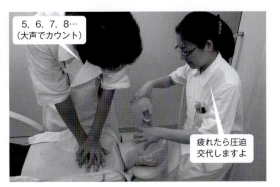

図23 成人の場合，**救助者が複数人でも，胸骨圧迫と人工呼吸の比率は30：2**である．

胸骨圧迫を続けていると徐々に施術者が疲労してくる．そのため，5サイクル施行後，**胸骨圧迫の中断が10秒以上にならないように**役割を素早く（5秒以内で）交代しながら続ける．

Ⅱ. 救命処置

5 AEDによる電気ショック

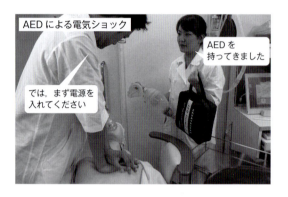

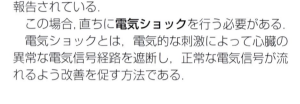

図24 心停止状態の成人患者の約70%が**心室細動**（心臓がヒクヒクと細かく動き，血液を送り出すポンプ機能を果たしていない状態）を起こしていると報告されている．

この場合，直ちに**電気ショック**を行う必要がある．

電気ショックとは，電気的な刺激によって心臓の異常な電気信号経路を遮断し，正常な電気信号が流れるよう改善を促す方法である．

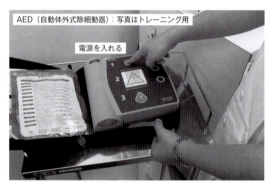

図25 AED（自動体外式除細動器）

AEDは音声アナウンスにより電気ショックに必要な操作を指示してくれる機器である．AEDのケースを開封すると電極パッドや髭そり（胸毛が濃い人はその場で剃る），グローブ等が入っている．

AED到着後，直ちに**本体を開け電源を入れる**．

一部のAEDでは，本体を開けると自動的に電源が入る．

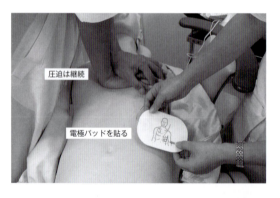

図26 胸骨圧迫と人工呼吸を継続しながら，音声アナウンスに従って**電極パッドを心臓を挟むように対角線にしっかり貼る**．

電極パッドの装着部位はパッドに示してある．
　　右側：右前胸部（鎖骨の下で胸骨の右側）
　　左側：左側胸部（腋（わき）の約5～8cm下，
　　　　　左側乳頭の斜め下）

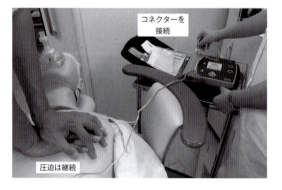

図27 電極パッドを貼った後，**コネクタをAED本体に接続する**．

AEDによる電気ショック

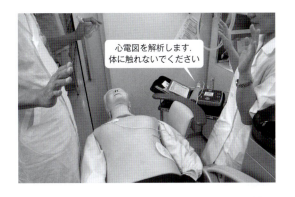

図28 その場にいる人に「心電図(心リズム)を解析します.みんな離れて」と声をかけ,**誰も患者に触れていないことを確認**する.
　ショックの適応であるか否かはAEDが解析結果を音声で伝えてくれる(一部のAEDは解析ボタンを押す必要がある).

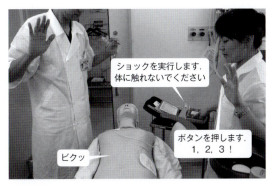

図29 電気ショックが必要な場合,AEDは『ショックが必要です.充電中です』と音声アナウンスを発する.自動的に実際の電気ショックを行うのに必要なエネルギーが充電される.
　ショックを行う時は,「ショックを実行します.みんな離れて」と声をかけ,必ず誰も患者に触れていないことを確認する.
　ショックボタンを押し,電気ショックを実行する.患者の身体がビクッと動く.
　充電に時間を要する場合は,直ちに胸骨圧迫を開始し充電が完了するぎりぎりまで続ける.なお,充電期間中の胸骨圧迫は,AEDの性能(圧迫行為で充電がリセットされる機器がある)により左右されるため賛否が分かれている(P.124コラム参照).

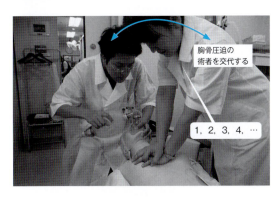

図30 電気ショックの適応がなければ**直ちに**,適応があればショック施行後**直ちに**,胸骨圧迫から再開して,**胸骨圧迫と人工呼吸を30:2で5サイクル(約2分間)継続する**.患者の胸のAEDのパッドは貼ったままにする.

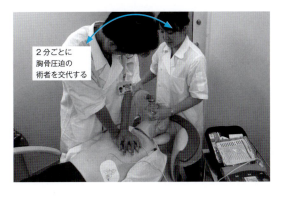

図31 2分ごとにAEDが音声アナウンスを発するため,上記操作をくり返し,その都度,役割を素早く(5秒以内で)交代する.
　複数人の救助者が現場にいれば,胸骨圧迫や人工呼吸の役割を交代したり,さらにスキルがあれば同時に静脈路を確保(図56～63参照)して,薬剤を投与できるよう準備する.

II. 救命処置

6 小児（1歳〜未就学児）の心停止時の対応

先天性疾患やアレルギー等の全身既往歴がない限り，小児（1歳〜未就学児）が診療中に急変し致死的状態に陥るのは稀である．

突然の心肺停止の原因は，**成人が心臓に起因しているのに対し，小児では呼吸に起因している**ことが多い．

1 意識 − 循環 − 呼吸の確認

患児が急変したら，成人同様，**意識の有無を 5 秒以上 10 秒以内で確認**する．周囲に応援を求め AED の手配および 119 番通報を行う．

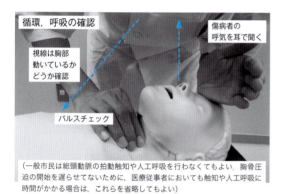

（一般市民は総頸動脈の拍動触知や人工呼吸を行わなくてもよい．胸骨圧迫の開始を遅らせてないために，医療従事者においても触知や人工呼吸に時間がかかる場合は，これらを省略してもよい）

図 32　**循環の確認**は 3 本の指の腹を使って**総頸動脈**（年少児の場合，上腕動脈または大腿動脈でもよい）**を触知**してその拍動の有無で評価（パルスチェック）する．同時に**呼吸の有無**を調べる．これらは **5 秒以上 10 秒以内で確認**する．仮に脈拍が触知できても **60 回/分以下であれば循環不良**とみなし，胸骨圧迫を開始する．

呼吸は，①胸の動きをみる，②呼気を感じることで評価する．呼吸が正常でなく，浅くあえいでいる状態（あえぎ呼吸＝死戦期呼吸）であれば「呼吸なし」とみなす．

2 胸骨圧迫

図 33　胸の下半分に手を置く．片手（体型によっては両手でも可）で**患児の胸の厚さ（前後径）の 1/3 以上（胸が 5cm 沈む程度）の強さ**で，**1 分間に 100 〜 120 回の速さで 30 回圧迫**する．圧迫後は手掌が胸に軽く触れた状態まで**胸郭を完全に元に戻す**．

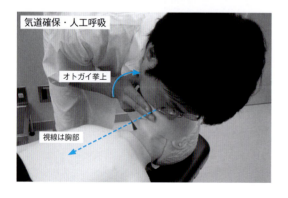

3 気道確保・人工呼吸

図 34　気道確保で過度に頭部後屈を行うと，解剖学的に気道を圧迫し，人工呼吸が行いにくいことがある．患児の鼻と口を覆って呼気を吹き込み，胸が軽く上がる（膨らむ）ことを確認する．1 回あたり約 1 秒で 2 回吹き込む．胸骨圧迫と人工呼吸の比は 30：2 で 5 サイクル（約 2 分間）であるが，**施行者が 2 人以上いる場合は 15:2 で 10 サイクル（約 2 分間）を行う**．

ポケットマスク等の感染防護具が手元にあれば，それらを用いて人工呼吸を行う．

「COVID-19 対応の」救急蘇生法は p.100 を参照．

110

小児（1歳～未就学児）の心停止時の対応

4 AEDによる電気ショック

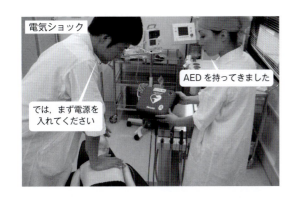

図35　AEDが到着後，直ちに本体を開けて電源を入れる．音声アナウンスに従い，電極パッドを貼る．
　AEDの中に**未就学児用パッド**が入っていればそれを使用するが，**入っていない場合は小学生～大人用パッドを用いてもよい**．

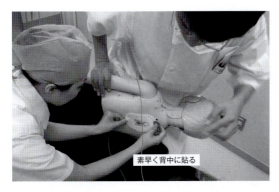

図36　電極パッドは成人同様，心臓を挟むように貼る．患児の体型に対し電極パッドが大きい場合は，パッド同士が重ならないようにする．未就学児用パッドに描かれている図の通りに胸部中央と背中に貼る．
　電極パッドを貼ったらコネクタを本体に接続する．「心電図（心リズム）を解析します」のアナウンスがあるまでは胸骨圧迫を継続する．

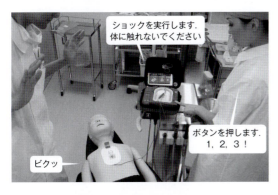

図37　解析中は誰も患児に触れていないことを確認する．電気ショックが必要な場合，AEDは『ショックが必要です．充電中です』と音声アナウンスを発する．ショックを行う時は，「みんな離れて」と声をかけ，**誰も患児に触れていないことを確認**してから，ショックボタンを押し**電気ショックを実行**する．すると患児の身体がビクッと動く．
　充電に時間を要する場合は，直ちに胸骨圧迫を開始し充電が完了するぎりぎりまで続ける．なお，充電期間中の胸骨圧迫は，AEDの性能（圧迫行為で充電がリセットされる機器がある）により左右されるため賛否が分かれている（P.124 コラム参照）．

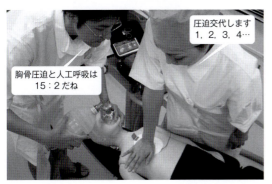

図38　電気ショックの適応がなければ直ちに，適応があればショック施行後直ちに，AEDのパッドは貼ったまま，**胸骨圧迫と人工呼吸を15：2で10サイクル（約2分間）継続**（救助者が一人の時は30：2で5サイクル）する．2分ごとにAEDが音声アナウンスを発するため，上記操作を繰り返す．
　胸骨圧迫を行うと徐々に術者が疲労してくる．そのため10サイクル（約2分間）施行後，**圧迫の中断が10秒以上にならないように役割を素早く（5秒以内で）交代**しながら続ける．

〈中村博和・関野麗子〉

7 蘇生後のケア・バイタルサインの測定

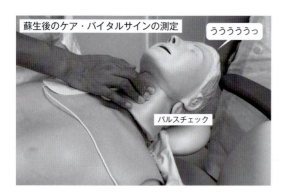

図39 救命処置中に**患者に体動や咳反射がみられた場合**，総頸動脈の拍動を5秒以上10秒以内で確認する．拍動再開が確認されたら蘇生後のケアとして，**バイタルサイン測定と酸素吸入**を準備する．なお，AEDパッドは装着したままとする．これは患者が再び急変した際にAEDを使用するためである．意識はないが正常な呼吸があれば，嘔吐による窒息を防止するため，可能であれば**横向き（側臥位あるいは回復体位）**とすることが望ましい．

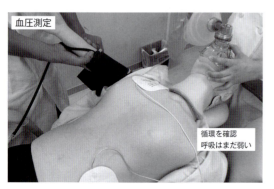

図40 蘇生すると循環の再開により，脈拍や血圧を測定することが可能となる．そのため，準備が整い次第，生体情報モニタを装着しバイタルサインを測定する．

循環が再開しても自発呼吸が不十分なことがあるので胸の動き，呼吸回数をみて，**弱々しかったり，あえぐような呼吸状態であれば**，バッグバルブマスクを用いて**補助呼吸**を行う．

1回の吹き込みは1秒かけて，**成人では6秒に1回，小児では2〜3秒に1回の割合で胸が上がる**のを確認しながらバッグを押す．

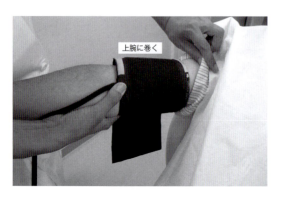

図41 生体情報モニタによる血圧測定（血圧の詳細についてはp.150〜参考）の手順を示す．測定部位が心臓と同じ高さになる位置でカフを上腕に巻く．その際，まくり上げた衣服が上腕を圧迫しないようにする．上腕動脈の拍動を触知し，カフの中央が上腕動脈にかかるようにする．

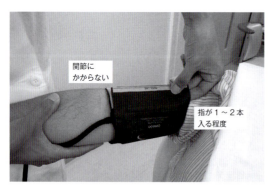

図42 カフは腕との間に指が1〜2本入る程度の強さで，カフの下縁が肘関節の1〜2cm上になるように巻く．そして肘から先の力を抜き，リラックスした状態で血圧を測定する．

カフの巻き方が緩いと，上腕動脈を圧迫する加圧面積が減って十分に圧迫することができない上，上腕動脈の血行を止めるにはさらに加圧しなければならないため，**血圧値は高くなる**．これは，血圧自体が高くなるのではなく，数値が高くなってしまうという意味である．

蘇生後のケア・バイタルサインの測定

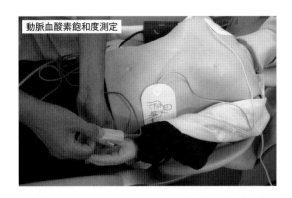

図43 動脈血酸素飽和度（詳細は p.160〜参考）測定として，パルスオキシメータを装着する．経皮的動脈血酸素飽和度の数値が93％以下で低酸素症が考えられれば，酸素の投与を増量する．

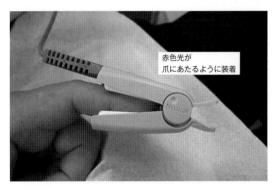

図44 パルスオキシメータは指先をプローブで挟むという極めて簡便な方法で，動脈血液中の酸素飽和度（血液中のヘモグロビンが酸素と結合している割合）を経皮的（非侵襲的）に連続して測定できるモニタである．酸素化の状態を測定し，低酸素状態をいち早く検出できる．また同時に脈拍数を連続して測定できる．

測定の際は，**プローブの内側の赤色光が患者の爪にあたるように装着**する．ずれて装着すると，数値に誤差を生じたり検知しないことがある．

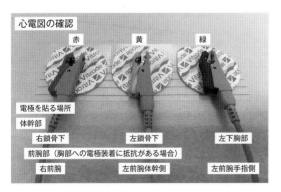

図45 心電図を確認する．心電図とは，心臓が自ら作り出している電気信号の「大きさ（強さ）」と「向き」を，目に見えるように記録したものである．心電図を見れば，その時の心臓の状態を推測できる．

心臓を取り囲むように電極を3箇所に貼ればすぐに画像として波形情報をえられる．電気信号の「向き」は「Ⅱ誘導」が刺激伝導系の軸に沿った誘導であるため，数ある「向き」の中から基本波形として選択するのが一般的である．

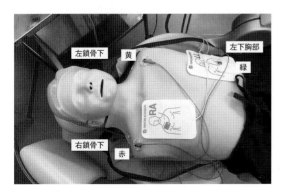

図46 救急蘇生の時は，心電図の電極は体幹部に貼る．通常の歯科診療時の心電図モニタリングであれば，前腕部に電極を貼るのが簡便であるが，体動等によりノイズが入りやすく，きれいに波形が表示されないことがある．体幹部においても，リード線が外れていたり，電源が入っていなかったりすると波形が見られないため，正しく装着されているか再確認する．

心電図波形の説明の詳細については，「5 不整脈に気づいたら」（p.18〜）の項を参照．

Ⅱ. 救命処置

　一次救命処置（BLS）を中止してよいのは，十分な循環や呼吸が戻り，自発的な体動や何らかの応答が現れた時，救急隊員や蘇生チームに蘇生を引き継いだ時，そして救助者が極端に疲労して蘇生処置を続けられない時や，救助者に危険が迫る等により継続が困難になった場合のみである．それ以外で中止すると蘇生できる可能性が低くなるため，できるだけ効率よく，中断することなく継続する．

8　自発呼吸が確認できる場合

　気道確保後，十分な自発呼吸が確認できる場合，胸の上がり具合，換気量や回数，リズム等を監視しながらフェイスマスクまたは経鼻カニューラから酸素を投与する．自発呼吸はあるが不十分な場合，または循環は認められるが呼吸がみられない場合，**成人では6秒に1回の割合（1分あたり10回），小児では2〜3秒に1回の割合（1分あたり20〜30回）で呼吸を補助する**（図14〜19参照）．酸素投与は，過換気発作と一部の呼吸器疾患以外のあらゆる偶発症，特に呼吸・循環機能が低下している時に有効である．吸入気酸素濃度を増加させることにより，体内に十分な酸素を供給できる．酸素の流量は，**動脈血酸素飽和度が94〜99％になるように**適宜調節する．

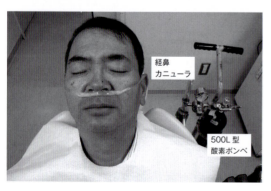

　図47　酸素ボンベを使用する際は，ボンベの元栓（①）を開けて，圧力計（②）が作動し，ボンベ内に酸素が十分量あることを確認する．流量計のコック（③）を回し，目盛り（④）を2〜6L/分（吸入酸素濃度約28〜44％に相当）に合わせる．経鼻カニューラ（図47）あるいはフェイスマスク（図48）を接続（⑤）して，**カニューラやマスクの先端から酸素が流れていることを確認してから装着する**．なお酸素投与時は，酸素ボンベと圧力計をつなぐ固定ネジ（⑥）には触れないようにする．
　酸素3L/分のような低流量で短時間の投与であれば，あえて加湿を行う必要はない．

　図48　経鼻カニューラの先端を両鼻孔に挿入し，眼鏡のように外耳にかけて2〜4L/分の流量で投与する．患者には鼻呼吸を促す．
　なお，図に示す500L型酸素ボンベを用いて圧力計に示す酸素残量が14MPa（満充の状態）から投与を3〜4L/分の流量で開始した場合，使用可能な時間は137〜102分である．酸素ボンベは緊急時に備えて数本は備蓄しておくとよい．

自発呼吸が確認できる場合／救急薬剤の投与

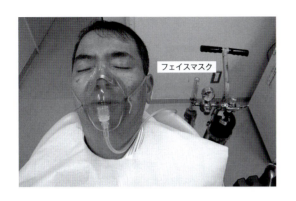

図49 フェイスマスクを装着する場合は，マスクが目にかからないように，鼻と口をすっぽりと覆うようにする．経鼻カニューラに比べて，より多くの酸素を瞬時に吸うことが可能であるため，口呼吸をする（鼻で呼吸ができない）患者における低酸素症の改善に効果的である．

　フェイスマスクの密着度を高めて6L/分以上の流量を投与すると，呼気中の二酸化炭素の再吸入を防ぐことができる．

9 救急薬剤の投与

　救急薬剤の投与は静脈注射が基本であるが，緊急時には筋肉注射を行うこともある．必要に応じて適切な薬剤を投与できれば，症状改善に効果的である．**救急薬剤の投与は，必ず生体情報モニタによるモニタリングおよび酸素投与下で行う**（p.113，114参照）．

1 筋肉注射

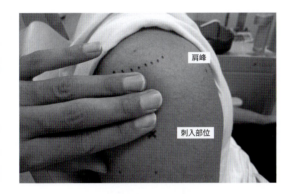

図50 筋肉注射を三角筋に行う場合，肩峰（点線）から3横指下の，筋層が厚く血管や神経の少ない部位が刺入部位（×印）である．注射部位を酒精綿で十分に消毒し，乾燥するまで待つ．

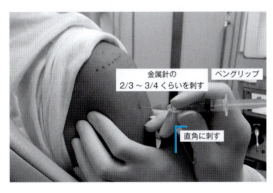

図51 注射器はペンを持つように保持し，右手の薬指や小指でレストをおきながら皮膚面に直角に素早く針を刺す．

　腕が太い場合は，筋肉までの距離があるので，皮膚を挟んで持ち上げない方がよい．

Ⅱ. 救命処置

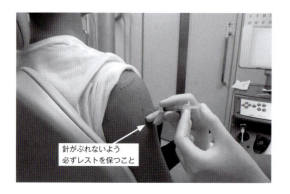

図52 指先への電撃痛や血液の逆流がないことを**確認**した後，注射器がぶれないように右手で刺入部を保持しながら左手でゆっくりと薬液を注入する．
　注入し終わったら，素早く針を抜き，酒精綿で注射部位を軽く圧迫する．

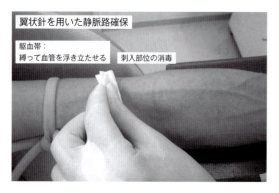

2 翼状針（トンボ針）を用いた静脈路確保

図53 翼状針とは，注射針の根本部分（針基）の両脇に，体表に固定しやすくするための部分（翼）が付いている翼状の針のことをいう．翼の部分がトンボの形に見えるのでトンボ針という俗称がある．
　注射部位より中枢側で駆血帯を締め，患者に親指を中にして手を強く握ってもらい血管を怒張させる．穿刺部位は屈曲することの少ない皮静脈や手背を選ぶ．刺入部位を中心に酒精綿で消毒する．**手首の関節付近の橈側皮静脈への穿刺は神経損傷の危険性が高いため避ける．**

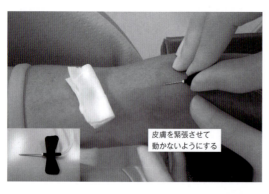

図54 術者の左手で皮膚を緊張させ翼状針の切り口を上に向け，静脈上で皮膚面に約10〜15°の角度で穿刺する．静脈内に入ると，針先の抵抗が減じ血液の逆流がみられる．

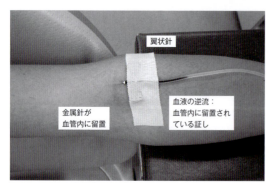

図55 翼状針の根元近くまで確実に静脈内に入ったら，駆血帯を外し，絆創膏で固定し輸液や薬剤投与を開始する．
　図では肘関節外側付近の血管に刺入しているが，刺入後は金属針が血管内にあるため，**肘を屈曲しないよう注意**する．穿刺部はできるだけ関節や屈曲部を避ける．

3 留置針を用いた静脈路確保

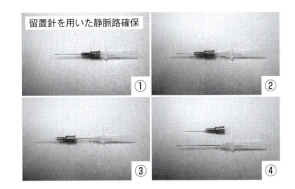

図56 静脈留置針は一定時間静脈内に管を留置しておけるよう，二重構造になっている．すなわち金属でできている内針により静脈穿刺を行い，内針をガイドにしてポリウレタン素材の外筒を挿入し留置する．

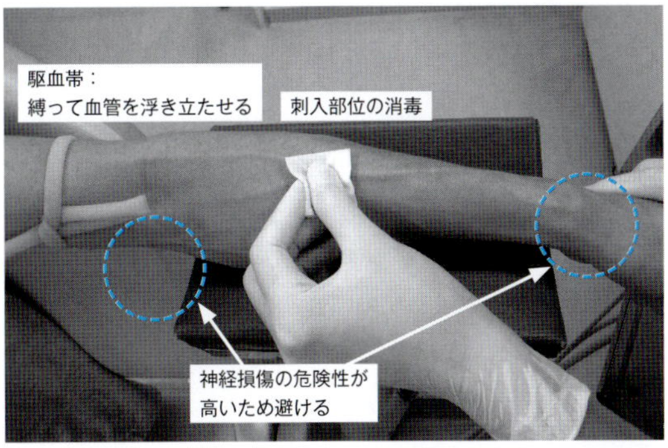

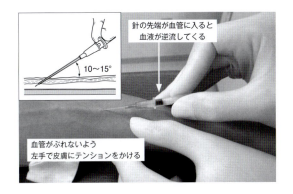

図57 注射部位より中枢側で駆血帯を締め，患者に親指を中にして手を強く握ってもらい血管を怒張させる．
　穿刺部位は屈曲することの少ない皮静脈や手背を選び，刺入部位を中心に酒精綿で消毒する．肘部の内側の血管や手首の関節付近の橈側皮静脈への穿刺は神経損傷の危険性が高いため避ける．

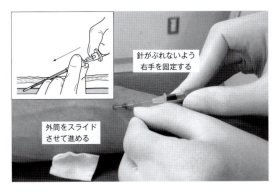

図58 右手で静脈留置針を静脈に平行になるように持ち，注射針の切り口を上に向け，静脈上を皮膚面に約10〜15°の角度で穿刺する．
　刺入部位に過度な痛みを訴えた場合，神経損傷や薬液の血管外漏洩の可能性があるので直ちに穿刺しなおす．

図59 内針に血液の逆流を確認したら，針先を血管の走行に沿わせて2〜3mm針先を進める．右手はその位置で固定したまま，左手で外筒を進める．

II. 救命処置

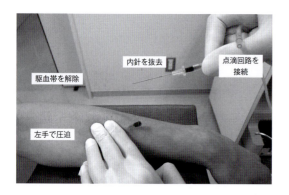

図60 外筒が静脈内に入ったら駆血帯を外す．左手で外筒先端相当部位の皮膚を上から圧迫し，血液の逆流を防ぎながら右手で内針を抜き取る．

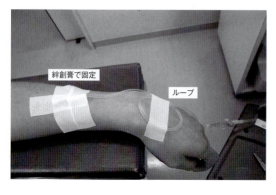

図61 外筒に輸液セットの延長管を接続し絆創膏で固定する．ループを作り，引っ張っても留置針が抜けないように固定する．

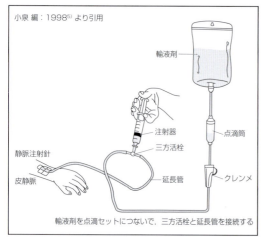

図62 クレンメを開き，点滴速度を調節して輸液を開始する．成人用輸液セットでは点滴筒からの滴下する薬液が20滴で約1mLである．

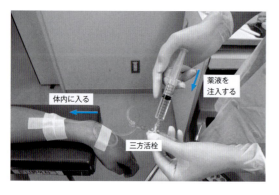

図63 静脈路を確保すると，三方活栓を通しての薬剤投与（p.120）が可能になる．

〈中村博和・小柳裕子〉

10 救急薬品の選択と使用方法

救急薬品を使用する際には，以下の注意点を熟読した上で投与することが必要である．

①バイタルサインは意識レベル・総頸動脈・橈骨動脈の拍動触知・呼吸の有無でチェックし，血圧計等の器械の使用はその後に行う

②救急薬品のファーストチョイスは酸素である（過呼吸発作が疑われた場合は確定してから投与を中止する）

③救急薬品の投与は原則として気道・呼吸・心拍が確実に保たれていることが基本的な条件である

④救急薬品を投与する場合は血圧，脈拍，心電図，動脈血酸素飽和度等の測定，記録を行う

⑤救急薬品の投与は即効性が必要とされるので，原則的には静脈投与を必要とするが，やむを得ない場合は筋肉投与等を行う

⑥薬剤を使用した場合は，投与量や投与した時間を必ず記録する

⑦救急薬品の効能・効果，副作用，使用上の注意等については添付文書の記載事項を熟読すると共に薬品の管理方法や使用期限を遵守し使用期限前に交換する

⑧救急薬品の投与後は症状が改善しても，必ず医療機関を受診させる

⑨実習を伴う講習会を定期的に受講して，注射の技術を習得する

救急薬品セット内容

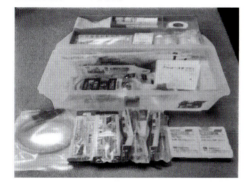

1. 救急薬品（参考例）

①輸液剤（5％ぶどう糖等の等張細胞外液）250mL	2本
②エフェドリン「ナガヰ」注射液 40mg/mL	2本
③アトロピン注 0.05％シリンジ「テルモ」	2本
④セルシン（ジアゼパム）5mg/mL	4本
⑤ネオレスタール注射液（クロールフェニラミン）10mg/mL	2本
⑥アタラックスP（ヒドロキシジン）25mg/mL	2本
⑦ソル・コーテフ（コハク酸ヒドロコルチゾンナトリウム）100mg/Vial	2本
⑧ニフェジピンカプセル（ニフェジピン）5mg/cap	5tab
⑨ニトロールスプレー 16.35mg/g	1本
⑩ニトロペン舌下錠 0.3mg（ニトログリセリン）0.3mg/tab	10tab
⑪注射用生理食塩水（20mL）	3本
⑫アドレナリン注 0.1％シリンジ「テルモ」	2本
⑬エピペン 0.3mg	1本
⑭エピペン 0.15mg	1本

2. 注射用品

①駆血帯用（ゴム管）	1個
② 3M テガダーム・マイクロポア（針刺部位固定・輸液ライン固定用テープ）	各1個
③ディスポーザブル注射器（注射針付き）（2.5cc・5cc 各3本）	6本
④翼状針（23ゲージ）	2本
⑤成人用輸液セット（延長管・三方活栓を含む）	2組

Ⅱ. 救命処置

適応症 症状	薬剤名(一般名)	薬理作用	使用方法・用量等 筋肉投与等
低換気 ショック状態	酸素	呼吸・心筋仕事量の軽減・鎮静	3〜5L/分でマスクまたは鼻カニューラより投与
	乳酸リンゲル　500mL 5%ブドウ糖　250mL	細胞外液の補充等	250〜500mL/時を点滴静注
血圧低下 脳貧血様発作	ヱフェドリン「ナガヰ」®注射液 40mg/mL（エフェドリン塩酸塩）	昇圧 心拍出量増加	希釈して 10〜20mg を筋注
徐脈 脳貧血様発作	アトロピン注 0.05%シリンジ「テルモ」0.5mg/mL（アトロピン硫酸塩）	心拍数増加	0.02mg/kg を筋注
アナフィラキシーショック 心停止	アドレナリン注 0.1%シリンジ「テルモ」（アドレナリン）	昇圧 心拍数増加 心収縮力増加	1/2（0.5mg）を筋注，効果がなければ 10 分後に 1/2 を追加
	エピペン®（0.3mg；0.15mg）		30kg 以上なら 0.3mg，15kg〜30kg なら 0.15mg を太もも前外側に筋注
局所麻酔薬中毒 アドレナリン過敏症	セルシン®；ホリゾン®5mg/mL（ジアゼパム）	鎮静 抗けいれん	1 アンプル（5mg）〜3 アンプル（15mg）を筋注
じんましん アレルギー	ネオレスタール®注射液 10mg/mL（クロルフェニラミンマレイン酸塩）	抗ヒスタミン	1 アンプル（10mg）を筋注
	アタラックス®P25mg/mL（ヒドロキシジン塩酸塩）	抗ヒスタミン 鎮静	1 アンプル（25mg）を筋注
	ソル・コーテフ注射用 100mg/Vial（ヒドロコルチゾンコハク酸エステルナトリウム）	抗アレルギー 抗ショック	溶解した後に 100〜200mg を筋注（筋注は抗アレルギー時のみ可）
術中高血圧	ニフェジピンカプセル 5mg「サワイ」5mg/Cap（ニフェジピン）	冠血管拡張 降圧	1 カプセル（5mg）経口投与（舌下投与は禁忌）
	セルシン®；ホリゾン®5mg/mL（ジアゼパム）	鎮静	1〜2 アンプル（5〜10mg）を筋注
胸痛 狭心症	ニトロール錠®5mg/Tab（硝酸イソソルビド）	冠血管拡張	1〜2 錠（5mg）を舌下投与
	ニトロペン®舌下錠 0.3mg　0.3mg/Tab（ニトログリセリン）		1 錠（0.3mg）を舌下投与
	ニトロール®スプレー 16.35mg/g（1 噴霧中に硝酸イソソルビド 1.25mg）		1 回 1 噴霧を口腔内に投与する．効果不十分の場合には 1 回 1 噴霧に限り追加する．

救急薬品の選択と使用方法

使用方法・用量等 静脈投与等	薬剤写真
3～5L/分でマスクまたは鼻カニューラより投与	
250～500mL/時を点滴静注	ブドウ糖／乳酸リンゲル／エフェドリン®
希釈して5～10mgずつ緩徐に静注	
0.01mg/kgを緩徐に静注（少量投与で徐脈になることあり）	アトロピン注シリンジ
1mgを10倍に希釈，心停止には0.5mg，アナフィラキシーショックには0.2～0.5mgを5～10分ごとに静注	アドレナリン注シリンジ／エピペン0.3；エピペン0.15
30kg以上なら0.3mg，15kg～30kgなら0.15mgを太もも前外側に筋注	
希釈して5～10mgを緩徐に静注，必要に応じて増量（呼吸抑制に注意）	セルシン®注
希釈して2～3mgずつ緩徐に静注	ネオレスタール®液10mg／アタラックス®P／ソル・コーテフ注射用
希釈して5～10mgずつ緩徐に静注（鎮静作用が比較的強い）	
溶解した後に100～200mgを静注	
カルシウム拮抗薬	ニフェジピンカプセル5mg「サワイ」／セルシン®注
希釈して5mgずつ緩徐に静注（不安・緊張による場合）（呼吸抑制に注意）	
硝酸薬（効果がなく，20分以上発作続く時は心筋梗塞を疑う）	ニトロール®錠／ニトロペン®舌下錠／ニトロール®スプレー

救命処置

〈見﨑　徹・関野麗子〉

Ⅱ. 救命処置

11 AED 製品比較表

製造販売元	日本光電	日本光電	フクダ電子	旭化成 ゾールメディカル
製品	カルジオライフ AED-2151 現行品	カルジオライフ AED-3100 現行品	ハートスタート HS1 現行品	ZOLL AED Plus 現行品
Non-Commit 型 Full-Commit 型	Non-Commit 型	Non-Commit 型	Non-Commit 型	Full-Commit 型
小児対応	スライドスイッチによる切替もしくは小児用パッド使用	スライドスイッチによる切替もしくは小児用パッド使用	小児用パッド使用（オプション）	小児用パッド使用（オプション）
データ通信	Bluetooth 通信	Bluetooth 通信	赤外線通信	赤外線通信
ユーザーにてデータ取り出し可能	○（有償）	○（有償）	○（有償）	○（無償）PC 赤外線ポート要
データ取り出し詳細	AED レポート表示・設定ソフトウェア（15,000 円）をインストールし，パソコンに Bluetooth 通信で取込可	AED レポート表示・設定ソフトウェア（15,000 円）をインストールし，パソコンに Bluetooth 通信で取込可	EventReview ソフト（シングル PC 用，7 万円），赤外線データケーブル（4 万円）	IrDA ポートを PC と向き合う状態にし，本体の電源ボタンを 5 秒以上長押し
防塵・防水特性	IP55	IP55	IP21	IP55
ガイドライン 2015 対応	○	○	○	○
耳マーク（聴覚障害者対応）	○	×	○	○
保存データ / 心電図波形	○	○	○	○
保存データ / イベント情報	○	○	○	○
保存データ / セルフテスト	○	○	○ データ閲覧は 60 日迄無償．60 日以降は有償．70,000 円のソフト要	×
保存データ / 周囲音	×	×	×	×
遠隔監視システム	○	○	○	×
二次元コード	[QR]	[QR]	[QR]	[QR]

AED製品比較表

2022年4月30日現在．最新情報は二次元コードからご確認ください．

オムロン ヘルスケア	日本ライフライン	日本ストライカー			CU
レスキューハート	カーディアック レスキュー	ライフパック	サマリタン	サマリタン	シーユー エスピーワン
HDF-3500	RQ-6000	CR2	PAD 350P	PAD 450P	CU-SP1
現行品	現行品	現行品	現行品	現行品	現行品
Non-Commit 型	Full-Commit 型	Full-Commit 型	Non-Commit 型	Non-Commit 型	Non-Commit 型
小児用パッド・ バッテリー （オプション）使用	切替小児ボタン 長押し 起動時は常に成人 モード 成人小児パッド兼用	切替小児ボタン 押し 成人小児用パッド 兼用	小児用パッド使用 （オプション）	小児用パッド使用 （オプション）	両用電極パッド 成人・小児モード 切替スイッチ（セーフティガード付） 小児用電極パッド も有
USB データケーブル	Bluetooth 通信 または USB 接続	USB ケーブル Wi-Fi（2.4GHz）	USB データケーブル	ー	IrDA(赤外線)通信 SD カード
×	○ （無償）	×	×	×	○ （無償）
メーカー預かり， 紙で回答 預かり期間と費用： 1週間〜10日， 1万円	標準同梱ソフトで データ取込可	販売店へ依頼 （使用者の取込不可） 価格は販売店のプ ランによって異なる （約1〜2万円）	販売店へ依頼（使用者の取込不可） 価格は販売店のプランによって異なる （約1〜2万円）	販売店へ依頼（使用者の取込不可） 価格は販売店のプランによって異なる （約1〜2万円）	メーカーへ連絡しIDとPASSを確認後PCへ転送可 専用ソフト有 別途メーカーへ依頼も可（12,600円）
IP56	IP55	IP55	IP56	IP56	IP55
○	○	○	○	○	○
×	○	×	○	○	○
○	○	○	○	○	○
○	○	○	○	○	○
×	○	○	×	×	×
×	○	×	×	×	×
×	○	○	○	○	×

〈見﨑　徹・西原正弘〉

II. 救命処置

> COLUMN

AEDの使用状況（普及率・使用率・救命率）

　令和2年中に一般市民が目撃した心原性心肺機能停止傷病者数は2万5,790人で，そのうち一般市民が心肺蘇生を実施した傷病者数は1万4,974人（58.1％）となっている．

　一般市民が心肺蘇生を実施した傷病者数のうち，一般市民がAEDを使用し電気ショックを実施した傷病者数は1,092人で，そのうち1カ月後生存者数は581人（53.2％），1カ月後社会復帰者数は479人（43.9％）となっている（図）．

　突然，心停止した人の救命に欠かせないAEDの使用率が新型コロナウイルスの感染拡大以降，大幅に下がり，救命率も低下していることが判明した．総務省消防庁と日本AED財団によると，AEDで電気ショックの処置を受けた割合を示す「使用率」は年々上昇傾向にあり，2019年に5％を超えたが，新型コロナの感染が拡大した2020年には4.2％に低下した．

　また，救命率の指標となる，心停止から1カ月後に社会復帰できた人の割合も同様に9％から7.5％に低下しており，人との接触を避けたい心理からAEDの使用をためらうケースもあると見られている．このため，日本AED財団は緊急の声明を発表し，処置の際に相手の口を布等で覆えば感染のリスクを減らせるとして，倒れた人に反応がなく呼吸が普段通りでなければ119番通報と胸骨圧迫を行い，そしてAEDの使用を呼びかけている．

参考資料
総務省消防庁『令和3年版救急救助の現況』

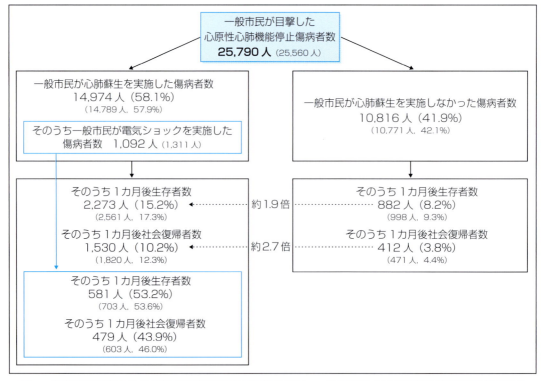

図　一般市民が目撃した心原性心肺機能停止傷病者のうち，一般市民による心肺蘇生等実施の有無別の生存率（令和2年）※小文字括弧内数値は令和元年中の数値

〈見﨑　徹〉

偶発症予防のために
できること

Ⅲ. 偶発症予防のためにできること

1 安全な歯科治療のための提案

 院内における新型コロナウイルス感染症対策チェックリスト

- ☐ 職員に対して、サージカルマスクの着用や手指消毒が適切に実施されている。
- ☐ 職員に対して、毎日の検温等の健康管理を適切に実施している。
- ☐ 職員が身体の不調を訴えた場合に適切な対応を講じている。
- ☐ 患者、取引業者等に対して、マスクの着用、手指消毒を適切に実施している。
- ☐ 発熱患者に対しては、事前に電話相談等を行い、帰国者、接触者センターまたは対応できる医療機関へ紹介する等の対応を講じている。
- ☐ 待合室で一定の距離が保てるよう予約調整等必要な措置を講じている。
- ☐ 診察室について飛沫感染予防策を講じるとともに、マスク、手袋、ゴーグル等の着用等適切な対策を講じている。
- ☐ 共用部分、共有物等の消毒、換気等を適時、適切に実施している。
- ☐ マスク等を廃棄する際の適切な方法を講じている。
- ☐ 受付における感染予防策（遮蔽物の設置等）を講じている。
- ☐ 職員に対して、感染防止対策に係る院内研修等を実施している。
- ☐ チェアの消毒や口腔内で使用する歯科医療機器等の滅菌処理等の感染防止策を講じている。

公益社団法人　日本歯科医師会
Japan Dental Association

協力：厚生労働省

p.133 参照

「安全な歯科治療のための提案」
—医療事故ゼロを目指して—

　高齢有病者の歯科治療を安全に行うために必要な常日頃からの心がけと対応について提案する．一方，不可避的な医療事故に対応するために，改正医療法（2007年4月施行）に準じて救急用品や救急薬品を揃え，管理方法を遵守すると共に使用法を習熟しておくことが必要である．

1. **医療面接（問診）；初診時に「担当医」により詳細に実施する**
　　特に服薬内容，アレルギーの有無，健康診断（人間ドック）等の検査結果を確認する．

2. **医科主治医への文書での照会**
・使用する局所麻酔薬や予定の手術・処置内容を平易な用語で記載する．
・加療中の診断（疾患）名，投薬内容・検査成績等を診療情報提供書で照会（対診），書面で返事を受け取る．

3. **有病者および高齢者（65歳以上）への対処**
　　高血圧症，脳血管障害，狭心症，心筋梗塞，不整脈，糖尿病等の患者，これらの疾患を疑う患者への対応．

1) 初診時
・バイタルサイン［血圧，脈拍，経皮的動脈血酸素飽和度（SpO$_2$），呼吸数，体温］を測定し記録する．
①外来血圧が高値の場合には，家庭血圧の測定・記録を依頼する．
②糖尿病の疑いのある患者は，了解を得た後に院内で血糖値を測定し，高値を示した場合は診療情報提供書で照会する．
・虚血性心疾患や不整脈のある者等では心電図モニタを行う．

2) 治療前
・説明；治療方針・内容の説明は口頭，図示や画像等を用い患者および家族が理解するまで繰り返し行う．
・承諾書；患者および家族の承諾（書）への署名・捺印等を得てから治療を開始する．

3) 治療に際しての注意
・患者の頓服薬や常用薬の携帯を確認し，いつでも投与できるようにすること．

4) 安全な局所麻酔
・局所麻酔に際しては患者の全身状態を十分に観察し，体調や気分を確認しつつ，無痛下での注射を実施する．
・モニタリング；局所麻酔注射前から治療終了まで，5〜15分ごとにバイタルサインを測定・記録しておく．
・局所麻酔注射；バイタルサインを確認後，局所麻酔注射を無痛的に行う．

5) 高血圧症，脳血管障害，虚血性心疾患や脳貧血（様）発作を有する患者，歯科（治療）恐怖症への対応
・亜酸化窒素（笑気）吸入鎮静法の併用；30％以下の亜酸化窒素吸入で鎮静を得て，同時に高濃度酸素（70％以上）を吸入させられる．
・パルスオキシメータ（SpO$_2$）および呼吸回数の計測値も記録する．

4. **患者の医科疾患の病態，常用薬剤の薬理作用等を理解する**
　　学術雑誌等を講読，講習会等に積極的に参加する等により最新の医療情報，知識を習得する．

5. **患者急変時の初期対応のスキルを習得**
・酸素吸入装置（亜酸化窒素吸入鎮静器でも可），救急用品や救急薬品（定期的に点検，交換）を常備する．
・救急時の対応マニュアルを作成する．
・バイタルサイン測定，注射法，心肺蘇生法等の院内（院外）研修（定期的；6カ月〜1年ごと）に参加する．

6. **地域医療機関との連携**
　　近在の内科医院や総合病院等と日常的な交流，医療ネットワーク構築，病診（診診）連携を進展させる．

7. **感染対策**
　　CDC（米国疾病予防管理センター）の標準予防策（スタンダードプリコーション）に準じて院内環境を整備する．

〈見﨑　徹〉

III. 偶発症予防のためにできること

2　問診（医療面接）のポイント

　問診は確定診断をするための基礎データとなるもので，初診時に，歯科医自身が行う必要がある．患者の医学的背景を把握するために，できるだけ詳細に聴取する．これは，以後の診療に際して，患者との良好な信頼関係を築いていくために極めて重要なステップである．問診という用語の響きは，疾病に関しての問いかけというニュアンスがあるが，その疾病によって患者がどのような生活を行っているかという視点で捉えることが必要で，**医療面接**という表現も用いられている．

　現在は，**POS（problem oriented system）＝問題志向型（病歴）システム**という新しい病歴記録方法で，従来行われていた事実の羅列という形式から，一歩踏み込んで，患者の有する問題点を中心として記述し，診断や治療方針が決定するまでの過程が，第三者にも明確にわかるようなシステムが一般化しつつある．

　我々が日常行っている診査の形式を示し，それぞれのポイントについて記載する．

1.　問診票の記入

　最初に，問診票（図1）を記入してもらい，患者の情報をある程度把握してから問診を行うことが重要である．問診票は複雑なものを避けて，なるべく簡単なものにすると患者が記入しやすい．

2.　記入事項の確認

　問診票の記入事項で，疾患名，治療法等，不明な点があれば可能な限り調べておくと，問診時に患者からの信頼も得られやすい．診療室内に医学辞典等があると非常に便利である．

3.　望診

　昔からよくいわれることであるが，患者をユニットに座らせてから問診に入ってはならない．たとえば，あなたが入社試験の面接官だとしたら，いきなり座らせた状態から面接を始めるだろうか？　まずは，ドアを開けておじぎをして入ってくる入社希望者の姿勢，服装等をチェックするはずである．同様に，問診は患者が診療室に入って来た時からスタートしていると考えなければならない．患者の歩き方，姿勢，顔色等を確認した上で問診を行うと深く掘り下げることができる．

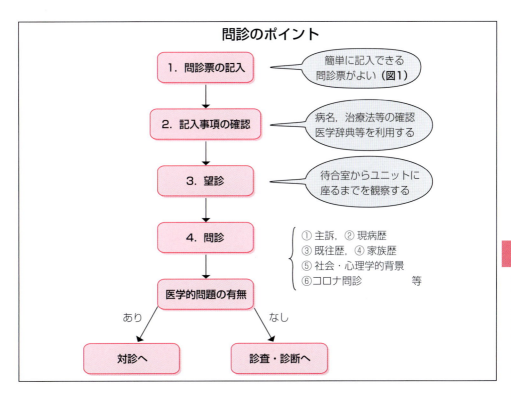

4. 問診

問診時に聴取する項目についてポイントを記載する.

1) **主訴**：患者の受診の理由，苦痛等を，基本的に患者の言葉でカルテに記載する．患者の要求や希望は含まない．
2) **現病歴**：主訴である症状がどのように経過してきたのかを記載する．また，今までどこの医療機関に通院し，どのような治療を受けていたのか，歯科治療に対してどのような不満があるのかについても可能な限り聴取しておくと，問題点が浮かび上がってくる．

最近では，ある医院で抜歯といわれても納得がいかない場合，患者が，セカンドオピニオンとして他の医院を受診し，意見を求める機会も増えていることを念頭においておくことも必要である．

Ⅲ. 偶発症予防のためにできること

カルテNo.　　　　　受付日　年　月　日

診療申込書（問診と確認）

当院は、あなたの健康状態を知り、安全な歯科治療に努めたいと考えています。
下記質問へのご回答をお願いいたします。

フリガナ				性別	生年月日
氏名			未婚 既婚	男・女	年　月　日生まれ 歳
現住所	〒　　－				
連絡先電話番号	自宅	携帯		メールアドレス	
職業					

◆歯について
［1］　いかがされましたか？
　　　□ 歯が痛い（□ 軽く ＜ □ 強く ＜ □ 耐えられない程）　□ 歯がしみる　□ 歯が浮いている
　　　□ 歯ぐきから血が出る　□ 歯ぐきが腫れた　□ 口内に何かできた　□ 詰め物が取れた
　　　□ 入れ歯が壊れた　□ 入れ歯が合わない　□ 検診希望　□ 歯ならびの相談　□ 歯・口をケガした
　　　□ 歯を入れてもらいたい　□ 顎が痛い　□ その他（　　　　　　　　　　　　　　　　　）
［2］　今回より前に歯科診療を受けたことはありますか？
　　　□ ない　□ 当院　□ 他の医院　で、（　　）日前（　　）週間前（　　）か月前（　　）年前
　　　　　　　　　　　　　　　⇒現在は、□ 完治した　□ 通院中　□ 途中で止めた

◆当院へのご要望など
［3］　ご来院いただきありがとうございます。来院の動機を教えてください。
　　　□ 他の医院からの紹介（紹介元：　　　　　　　　　　　　　／□ 紹介状を持っている）
　　　□ 医院以外の方にすすめられた／□ 家族の勧め　□ 友人・知人の勧め　□ その他（　　　　　　）
　　　□ 自宅・職場に近いから
　　　□ その他（　　　　　　　　　　　　　　　　　　　　　　　　　　　　　　　　）
［4］　当院へのご要望がありましたら教えてください。
　　　（　　　　　　　　　　　　　　　　　　　　　　　　　　　　　　　　　　　　）

◆治療のご希望ついて
［5］　ご希望の治療を教えてください。
　　　□ 悪いところは全部治療したい
　　　□ 希望するところだけ治したい
　　　□ 歯の磨き方などについても教えて欲しい
　　　□ 検査・クリーニングについて教えて欲しい
　　　□ 保険を使った治療を希望
　　　□ 自費治療を含む治療方法の説明を受けた上で、自分で選択したい

◆生活習慣について
［6］　生活習慣について教えてください。
　　　①喫煙習慣は、□なし　□あり（1日　　本）　□過去にあり
　　　②アルコール摂取は、□ しない　□ 時々　□ 毎日（量：　　　　　　）

※裏面に続きます。

図1　問診票の一例（表面）

問診（医療面接）のポイント

◆歯以外の病気について
　[7]　通院中・治療中の病気はありますか？
　<u>現在治療中または過去に治療した病気に☑をお願いします。</u>　　□ない
　　　　□ 高血圧 016　□ 心臓病（□ 狭心症 022　□ 心筋梗塞 022　□ 不整脈 026　□ 弁膜症 030
　　　　□ 心不全 036　□ 心筋症 040　□ 先天性心疾患 044）□ 糖尿病 048 (HbA1c:　　　)
　　　　□ 脳卒中 054　□ ぜんそく 060　□ 肝臓病 066　□ B型肝炎　□ C型肝炎　□ 腎臓病 072
　　　　□ てんかん 078　□ 鼻の病気　□ 心の病気　□ アレルギー 082　□ 甲状腺の病気 088
　　　　□ がん 092　□ 認知症 096　□ HIV 100　□ 貧血　□ 自己免疫疾患・膠原病
　　　　□ 感染症　□ 骨粗鬆症　□ 婦人科疾患　□ 血液疾患
　　　　□ 睡眠時無呼吸症候群（CPAP　□ 使用している　□ していない　）□ その他（　　　　）

◆お薬・治療状況について
　[8]　現在服用中の薬剤はありますか？
　　　　□ ない　□ ある／（□ お薬手帳　□ お薬）を持ってきている
　　　①服用中の薬剤がある方は、お薬の名前（不明な場合は何のお薬か）を教えてください。
　　　　（　　　　　　　　　　　　　　　　　　　　　　　　　　　　　　　　　　　　　　）
　　　②ペースメーカ、または胸の中に何か埋め込んでいますか？　□ はい　□ いいえ　146

　　　※当院で記載します
　　　　□ 睡眠鎮静剤・抗不安剤 106　□ 抗てんかん剤 110　□ 解熱鎮痛消炎剤 114
　　　　□ 循環器系薬剤 118　□ 副腎皮質ホルモン剤 122　□ 抗血栓剤 128
　　　　□ 糖尿病用剤 132　□ BP製剤 136　□ 腫瘍用薬・免疫抑制剤 142　□ その他

◆かかりつけの医師等に意見・助言を求めることの同意について
　[9]　患者様の診療に当たり、患者様の現在治療中または過去に治療した病気、および現在服用中の薬剤に関し、患者様のかかりつけの医師等へ意見助言を求めることに
　　　　　　□ 同意します　　　　　□ 同意しません
　　　尚、同意しない場合、診療できない場合がありますことをご了承ください。

◆おからだの状態について
　[10]　生活の中で気になる おからだ の状態を教えてください。
　　①階段を休まずに2階まで昇れますか？　　　　　　　　　　　　①□ はい　□ いいえ　152
　　②胸がしめつけられるような痛みを感じたことがありますか？　　②□ はい　□ いいえ　156
　　③食べる時にむせることがありますか？　　　　　　　　　　　　③□ はい　□ いいえ　160
　　④意識がなくなったり、気が遠くなったりしたことがありますか？　④□ はい　□ いいえ　164
　　⑤歯科治療中に気分が悪くなったことがありますか？　　　　　　⑤□ はい　□ いいえ　168
　　⑥血が止まりにくかったことがありますか？　　　　　　　　　　⑥□ はい　□ いいえ　172
　　⑦薬・食物・金属のアレルギーはありますか？
　　　　　　⑦□ はい（原因：　　　　　　　　）□ 可能性・疑いあり　□ いいえ　176
　　⑧妊娠中ですか？　　　　　　⑧□ はい（　　ヵ月）□ 可能性・疑いあり　□ いいえ　180
　　⑨授乳中ですか？　　　　　　⑨□ はい（　　ヵ月）　　　　　　　　　　□ いいえ　180

◆家族歴について
　[11]　ご家族に血液疾患、糖尿病、突然死の方はいますか？　□ はい（□ 血液疾患　□ 糖尿病　□ 突然死）
　　　　　　　　　　　　　　　　　　　　　　　　　　　　□ いいえ
　　　　　　　　　　　　　　　　　　　　　　　　　　　　　　　　　　歯科医師

ご記入いただいた個人情報は、当院の個人情報取り扱いポリシーに従い、厳正に取り扱いいたします。
　　　　　　　　　　　　　　　　以上で問診は終了です。ありがとうございました。

図1（つづき）　問診票の一例（裏面）

3）**既往歴**：患者のもつ医学的背景を記載する．
 （1）過去に罹患した疾患名と治療法
 （2）現在罹患している疾患と治療法（服用薬剤，手術・後遺症の有無等），さらに主治医および医療機関名
 （3）アレルギーの有無について（薬剤，食品等）
 （4）出血傾向について（抜歯した時に血が止まりにくいことはなかったか等）
 （5）骨粗鬆症による骨折の有無，ビスホスホネート系薬剤服用の有無
 （6）2019年11月に中国の武漢でCOVID-19感染症が発症し，世界中に感染が拡大している．2020年2月22日，当院所在地の熊本県で初の感染者の報告を受け，当院では外来患者，入院患者，スタッフを守るために，絶対に院内にウイルスを持ち込まないよう水際作戦の1つとして，2020年2月23日から詳細なコロナ問診のアンケートを施行している．時期によってアンケートの内容を改訂している．2022年2月の時点で15回の改訂が行われた．コロナの状況に応じて，今後も改訂を続ける予定である（**図2**）．

4）**家族歴**（親族に遺伝性の疾患がないか等）
5）**局所麻酔の経験について**（麻酔時の気分不快の有無，効果等）
6）**輸血歴**（過去に輸血を受けたことがないか）：過去に輸血を受けていればHBVやHCVに感染している可能性があるので，観血的処置をする場合は検査を行う．
7）**妊娠の可能性**：X線撮影，処置，投薬の時に配慮が必要となるので必ず問診する．
8）**バイタルサインの測定と記録**（高齢者や内科的疾患をもつ患者では必須である）
9）**患者の社会，心理学的背景への考察**

カルテNo　　　　受付日　令和4年　月　日

感染予防についてのお願い

お名前：

新型コロナウイルス感染が全国に拡がり、熊本県でも感染者が報告されています。当院では、患者様のご協力をお願いして、感染予防に努力しています。
厚生労働省の指針により、患者様への「咳などの症状の聴き取り」と「体温測定」を行っています。
なお、入口・出口をはじめトイレ等にアルコール消毒液を用意していますので、手洗い・消毒の励行をお願い致します。

◆以下の症状があれば教えてください◆

	ご質問内容		何日前からですか？
①	「咳」が出ていますか？	はい　いいえ	日前
②	「息切れ」や「体のだるさ」はありますか？	はい　いいえ	日前
③	熱はありますか？（37.0℃以上）	はい　いいえ	日前
④	匂いや味の異常はありますか？	はい　いいえ	日前
⑤	家族や周囲の人に上記の①〜④の症状はありますか？	はい　いいえ	日前

（ 家族　友人　それ以外 ）　いずれかに○をお願いします

			いつですか？
※	過去1カ月以内に新型コロナウイルス感染症のPCR検査を受けたことがありますか？	はい　いいえ	月　日頃

※「はい」の方は裏面へお進みください

※	新型コロナワクチンの接種はお済みですか？	はい　いいえ	1回目	年	月	日
			2回目	年	月	日
	もしくは接種の予定が入っていますか？	はい　いいえ	3回目	年	月	日

◆渡航歴等について教えてください◆

	ご質問内容		いつ頃ですか？
⑥	過去2週間以内に県外へ旅行・出張に行きましたか？（県外からの帰省も含む）	はい　いいえ 都道府県名:	頃
⑦	過去2週間以内に海外への渡航歴はありますか？	はい　いいえ 国名:	頃
⑧	過去2週間以内に不特定多数の人が集まる場所に行きましたか？	はい　いいえ	頃

（ライブハウス・スポーツジム・映画館・その他・（　　　）いずれかに○をお願いします

⑨	家族や周囲の人に上記の⑥〜⑧が当てはまる方はいますか？	はい　いいえ	頃

（ 家族　友人　それ以外 ）　いずれかに○をお願いします

ご協力ありがとうございました

※下記については、「過去1カ月以内に新型コロナウイルス感染症のPCR検査を受けたことがある方」のみ回答をお願いします。

①どのような経緯でPCR検査を受けることになりましたか？

	発熱などの症状が出たため
	濃厚接触者となったため
	学校や所属する団体、職場等でPCR検査を受けるよう指示されたため
	自身でPCR検査を希望したため
	その他　（　　　　）

※いずれかに○をお願いします（複数回答可）

②新型コロナウイルス感染症のPCR検査で陽性と診断されましたか？　　はい　いいえ　結果待ち
※「はい」の方は下記へお進みください

③どちらで治療・療養をされましたか？　　病院 ・ 宿泊施設 ・ 自宅 ・ その他（　　　）
※いずれかに○をお願いします（複数回答可）

④新型コロナウイルス感染症で退院・退所されたのはいつですか？　　月　日頃

⑤退院・退所されてから4週間は経過していますか？　　はい　いいえ　　経過期間　日間

⑥その4週間の間に体調の変化はありませんでしたか？　　はい　いいえ　　症状があれば記入お願いします

ご協力ありがとうございました

図 2

偶発症予防のためにできること

〈伊東隆利・吉武義泰〉

III. 偶発症予防のためにできること

3 内科（主治医）対診（診療情報提供）のポイント

　医学の進歩に伴い，高齢者および有病者が一般の歯科医院を受診する機会が増加している．社会の高齢者比率が20％を超えると，歯科医院の待合室の50％が高齢者で占められるともいわれている．

　高齢患者の中には，外見上は元気そうにみえても，高度な医学的管理を受けている人もいる．そのため，歯科治療を行う際，他科（特に内科）へ対診し，主治医との協力・連携体制を作る必要性が増加している．

　他科への**対診には2つの形式がある**．問診で患者の有する基礎疾患が明らかとなり，**全身状態や服薬内容，注意点等を問い合せること（照会）**と，治療中の急激な血圧上昇等によって治療を中断した場合や，治癒不全の原因として糖尿病等が疑われる場合，または薬剤によるアレルギー等が生じて**他の医療機関の受診を勧めること（紹介）**である．

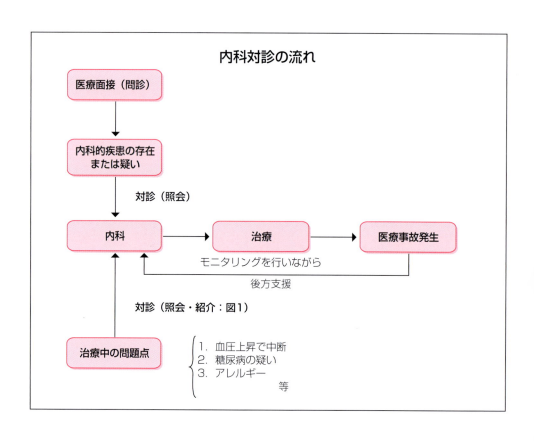

図1　診療情報提供のためのフォーマット例
（必ずコピーをカルテに添付しておく）

1．対診を行う際の注意点

1）必ず文書でやりとりする

　文書は要点を簡潔に，もれなく記入する．各歯科医院でフォーマット（**図1**）を作っておくと時間の短縮になる．相手先からの返信も文書で受け取ることが重要である．

　緊急な対応が必要で，電話でのやりとりがあったとしても，カルテに記載する必要がある．不幸にして事故が起こった場合，記録された文書が最大の証拠となる．要領よく整理されたカルテは歯科医の対応の正当性を証明する重要な資料となる．

2）歯科的略号を用いない

　歯式やEXT，Pul等の保険用語は，内科医および一般の医療機関では理解されない．

▶**記入例**：右下奥から2番目にある歯の神経を治療（所要時間は約1時間）するために，局所麻酔薬（1/80,000アドレナリン添加2%キシロカイン1.8mL1本）を使用します，等．

3）内科主治医の判断に役立つ情報提供を行う

　歯科治療は身体的ストレスがかかることを主治医にも理解してもらえるような文面を作成する．主治医が歯科治療の具体的内容を理解していない場合，危険性の判断が困難なこともある．具体的な治療内容（抜歯の本数，困難度，治療時間等），局所麻酔薬の量，さらに処置後に予想される経過（疼痛，腫脹等）を記載する．

▶**記入例**：左下前歯3本を抜去したいと思いますが，局所麻酔薬として1/80,000アドレナリン添加2%キシロカイン1.8mL　1～2本使用，予想出血量10mL程度，所要時間にして15分程度です．抜歯後は縫合しますが，抗凝固療法の影響で後出血，また一時的な痛みで血圧が上がることも考えられます，等．

▶**一覧性の紹介状・報告書の工夫例**：歯科処置終了後に処置内容とその結果を医師に報告することで，歯科治療に対する理解を深めてもらい，以後の歯科からの照会に対し適切なアドバイスに活かされること，さらには医師との信頼関係の構築ができることを期待して，**図2，3**のような一覧性の紹介状・報告書を工夫している．

Ⅲ. 偶発症予防のためにできること

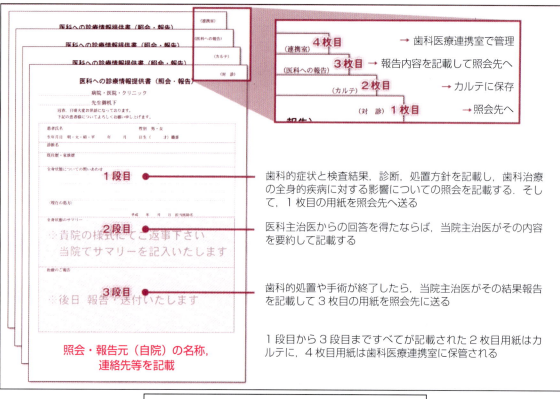

図2, 3 医科への診療情報提供書(参考)

4）医療事故が起こった時の対処法を確認しておく

例えば，治療中に血圧が上昇したり，喘息発作が起こった時等の対処法（薬剤の使用等）についてアドバイスを得る．

5）疾患ごとに問い合せるポイントが異なる

各疾患により注意点が異なるため，歯科医も日頃から最新の医学的知識の研鑽に努める必要がある．

6）返事を必ず書く

必ず経過報告を行い，終了後にも改めて治療結果を文書で報告することが重要である．そして，日常的に内科医（主治医）との連携を心がけておくことが大切である．

2．対診のポイント（主な疾患別）

1）高血圧症（p.2 参照）
(1) 現在の血圧コントロールの状況，重症度，合併症の有無，治療内容と服用薬剤（一般的には使用薬剤が多いほど重症と考えられる）
(2) どの程度，歯科治療のストレスが加わるかを記載する（通常，局所麻酔薬使用後に最高血圧が 20～50mmHg 上昇することが報告されており，高血圧の場合は特に変動が大きいことが考えられる）
(3) 局所麻酔薬，血管収縮薬の使用について
(4) 血圧上昇時の対処法について

歯科治療時の様々なストレスによる血圧上昇，脈拍数増加に留意することが大切であるが，患者によっては自分で服用薬剤を調節している場合もあるので，服薬状況を確認する必要がある．

2）糖尿病（p.92 参照）
(1) 空腹時血糖値，グリコヘモグロビン（HbA1c）値によるコントロールの状態の把握
(2) 治療方法と服用薬剤
(3) 合併症の有無
(4) 低血糖時の対処法について
(5) 検査データ（血糖値，グリコヘモグロビン等）
(6) 治療歴等

糖尿病では歯周病や創傷治癒不全が起こりやすい．また，多くの合併疾患が問題となる．

3）不整脈（p.18 参照）
(1) 日常生活制限の程度（現在の状態から重症度を判断できる）
(2) 治療方法，服用薬剤
(3) 不整脈の種類と重症度，危険度
(4) 合併症の有無
(5) 最近の病状

不整脈には多くの種類があり，危険性が少ないものから致死的なものまであり，注意が必要である．

4）虚血性心疾患（狭心症と心筋梗塞）（p.24 参照）
　　（1）日常生活制限の程度（現在の状態から重症度を判定できる）
　　（2）治療方法，投薬内容
　　（3）検査データ（TT，PT，PT-INR 等）
　　（4）局所麻酔薬の使用について
　　（5）胸痛時の対応（ニトログリセリンの使用等）
　急性期を過ぎ，慢性期で全身状態が安定していることが重要である．症状の不安定な時は注意する．
　＊心筋梗塞の既往のある場合，以前は，発作後6カ月は歯科治療は禁忌というのが定説になっていたが，最近では，病態によっては発作後3カ月でも可能であるとされている[1]．

5）脳血管障害（p.34, 38, 46 参照）
　　（1）現在の状況（麻痺等，運動機能を中心とする後遺症の評価）
　　（2）投薬内容
　　（3）検査値（TT，PT，PT-INR 等）
　　（4）合併症（高血圧，パーキンソン病等）
　　（5）抗血栓薬の休薬，減量の必要性について
　原因疾患への投薬とともに，抗血栓薬が投与されていることが多い．

6）気管支喘息（p.60 参照）
　　（1）治療内容と投薬内容
　　（2）最終発作時期
　　（3）発作時の対応
　　（4）発作の起こりやすい季節等
　　（5）鎮痛薬使用について（アスピリン喘息の有無）
　患者によって病態が異なり，様々な治療法が行われている．

7）腎不全
　　（1）現在の状況
　　（2）検査データ
　　（3）人工血液透析について（透析方法と透析日および処置可能日）
　　（4）抗菌薬，鎮痛薬の選択・量について
　　（5）合併症（高血圧，糖尿病，貧血等）
　　（6）輸血の有無
　進行に伴って様々な症状を呈する．特に，血液透析を受けている患者は注意点が多く，出血傾向，易感染，薬剤の蓄積性等が問題となる．透析に用いるシャントの閉塞や感染が起こると全身状態が急変することもあるので注意が必要である．

8）肝疾患（ウイルス性肝炎，肝硬変等）

（1）現在の状況・原因
（2）検査データ（血小板数，AST，ALT，γ-GTP 等）
（3）感染症（HBV，HCV）の有無
（4）使用薬剤
（5）出血傾向の有無
（6）抗菌薬，鎮痛薬の使用について
（7）食道静脈瘤の有無

　ウイルス性肝炎に対しては，院内感染対策を十分に考慮する．肝硬変は易出血性，易感染性となり，症状が進行すると致死的になるので注意が必要である．

9）抗菌薬の予防投与が必要な疾患

（1）抗菌薬予防投与の方法
（2）現在の状況（心不全の有無）
（3）投薬内容（抗血栓薬等）
（4）検査データ

　人工弁置換術後，先天性心疾患，肥大型心筋症等では，スケーリングでも菌血症を発生することがあるので注意を要する．

10）顎骨壊死を発生する薬剤を服用している患者（p.88 参照）

（1）現在の状況
（2）治療方法・治療歴
（3）投薬内容・投薬量・投与期間
（4）リスク因子の有無

よく使われている薬剤として，
　①破骨細胞を治療ターゲットとするビスホスホネート（BP）製剤とデノスマブ
　②抗がん剤としばしば併用される血管新生阻害薬（サリドマイド，スニチニブ，ベバシズマブ，レナリドミド等）やチロシンキナーゼ阻害剤等の分子標的治療薬

がある．①による顎骨壊死を ARONJ：anti-resorptive agents-related osteonecrosis of the jaw（ONJ），②により発生する顎骨壊死を MRONJ：medication-related ONJ と呼んでいる．

　ともに発生頻度は，経口剤では 0.01〜0.02％，注射剤では 1〜2％であるが，糖尿病，関節リウマチ，骨パジェット病，喫煙，飲酒，肥満等により発生のリスクは上昇する．しかし，何といっても発生を予防するためには，徹底した口腔清掃が重要であることはいうまでもない．

> すべての医科疾患についていえることであるが，自院における対応が困難であると判断したら，早めに近隣の大学病院，総合病院等，全身管理が可能な医療機関に紹介する．

〈伊東隆利・吉武義泰〉

4 カルテ開示を求められた際の対応

　2005年4月からカルテ（診療録）開示が法的義務となり，患者は医療機関に，自分のカルテ開示を正式に求められるようになった．開示するカルテの内容としては，カルテの写し，もしくは診断名・治療経過等，歯科医が記録したカルテに代わる文書，X線・CT画像等の写し，手術記録，看護記録等である．

1. カルテ開示の目的

　カルテ開示の目的は以下の3点であると考えられる．

1）個人情報コントロール権の保障

　カルテは，法的には医療機関のものであるが，そこに記載される患者の個人情報は患者自身のものでもあることから，誤った情報のチェックを含め，患者に個人情報のコントロール権を保障することがカルテ開示の目的である．患者がいつでもカルテを閲覧することができることが最優先される．

2）インフォームドコンセントの一環

　インフォームドコンセントの過程においては，医療に関する患者自身の情報と，患者の罹患した疾病に関する医療情報の提供が必要である．特に，患者自身の医療情報提供の一助とすることが，カルテ開示の目的であるが，隠しごとがないという医療者との信頼関係が患者の同意を円滑にするという側面もある．しかし，カルテ開示のみでは不十分であり，歯科医の十分な説明と患者の理解が不可欠である．

3）患者との医療情報の共有と，患者自身の医療への参加促進

　カルテは，医療者間では患者に関する医療情報を知る要であり，職種を越えて医療情報を共有することにより医療チームとして質の高い医療の提供が可能となる．カルテ開示は患者との医療情報の共有に役立て，患者を医療チームの中心的存在とすることにより，医療への患者参加を促進することを目的とする．従来の「お任せ医療」からの脱却が必要である．

2. カルテ開示を請求できる者

　患者本人か，判断能力のない患者に代わる親権者，法定代理人等．
　患者が死亡した際には（歯科）医師および医療施設の管理者は，遅滞なく，遺族に対して死亡に至るまでの診療経過，死亡原因等についての診療情報を提供する．ただし，この場合カルテ開示を請求できるのは患者の法定相続人のみである．

3. カルテ開示を求める手続き

　各医療施設が定めた方式に従って，医療施設の管理者に対して申し立てる．申し立てを受けた医療施設の管理者は，速やかに診療記録等を開示するか否か等を決定し，これを申

立人に通知する．**図1，2**は著者の施設で使用しているカルテ開示の申請書である．以下に当院の情報開示手順を示す．

情報開示手順
【個人の場合】
① 本人から開示請求窓口に開示請求申し出
② 開示請求申請書・本人確認書類
　　＊運転免許証・健康保険証・障害者手帳・住民基本台帳・マイナンバーカード・外国人登録証明書
　　＊親権者の場合は委任状を提出していただく
　　＊申請書がない場合は当院の申請書を渡し，手数料を説明する
③ 主治医・室長・主任歯科衛生士へ連絡　→内容を精査
④ 理事長・院長・診療情報委員会委員長が内容を確認する
⑤ 本人へ開示情報を渡す・送る，手数料の支払いを確認する

【法定代理人からの依頼】
① 開示請求窓口に開示請求書・本人依頼書（委任状）を提出
　　＊手数料を説明する
② 主治医・室長・主任歯科衛生士へ連絡　→内容を精査
③ 理事長・院長・診療情報委員会委員長が内容を確認する
④ 開示情報を送る，手数料の支払いを確認する

【保険会社からの依頼】
① 保険会社から電話連絡・依頼　→本人の同意を確認
② 主治医の面談予約
　　＊手数料を説明する
③ 主治医と保険会社の面談
④ 面談手数料を窓口にて支払いしていただく

【法令に基づくもの（行政・裁判所・警察・他）】
　　＊本人確認の必要なし
① 開示請求が窓口へ提出される，依頼先を確認する
② 主治医・室長・主任歯科衛生士へ連絡　→内容を精査
③ 理事長・院長・診療情報委員会委員長が内容を確認する
④ 依頼先に開示情報を送る，開示手数料を請求する

4. 事例報告

カルテ開示の事例を報告する．今後，カルテ開示を求められることは増加すると考えられるので，対応についてよく理解しておくことが必要である．

【事例1】
　　法定代理人（弁護士会照会）より，交通事故の損害賠償請求の証拠として提出するため，開示請求依頼あり．主治医・理事長・院長の内容精査後，依頼された期間のカルテ，他医

Ⅲ. 偶発症予防のためにできること

診療録等の開示申請書

令和　年　月　日

○○○○医院　　　院長　殿

〒
住　所 ＿＿＿＿＿＿＿＿＿＿＿＿
（フリガナ）
氏　名 ＿＿＿＿＿＿＿｜患者との続柄｜
電話番号

次のとおり、診療録等の開示を申請します。

内　容	①入院・外来区分　（1）入院　　　　（2）外来
	②期間　　　　令和　年　月　日　～　令和　年　月　日
	③開示内容：

| 希望する開示の方法 | ①コピー　　　②閲覧　　　③口頭による説明 |
| 希望する開示日 | 令和　年　月　日　～　令和　年　月　日 |

法定代理人・家族が開示を請求する場合	（フリガナ）患者様氏名	
	患者様の住所	〒
	電話番号	TEL
	本人の状況	①未成年者15歳未満　　②禁治産者 ③未成年者15歳以上　　④その他（　　　　）　⑤死亡
	備考	

注1：申請の際には、申請者本人であることを確認するために必要な書類（運転免許証、パスポート、健康保険証等）を提出してください。
注2：法定代理人・家族が開示する場合は注1の書類のほか、本人の委任状を提出してください。
注3：開示後のご本人及び第三者の提供・開示・紛失等によるトラブルにつきまして、当院は一切の責任を負いかねます。

病院使用欄　＊次の欄は患者様が記入する必要はありません。

本人等の確認方法	□運転免許証　　□健康保険証　　□パスポート □その他（　　　　　　　　　　　　　　）
確認した記号番号	｜担当者｜
備　考	

図1　カルテ（診療録）開示の申請書例

委任状

私は、

　　（代理人氏名）　　　　　　　　　（（患者様本人との関係）　　　　　）

　　　（住所）

　　　（電話番号）（　　　　）ー（　　　　）ー（　　　　）

を代理人として、次の事項を委任します。

記

私に関する診療録等の閲覧・要約書などを申請し、写しなどの交付を受ける件

　　　　　　　　　　　　　令和　　　年　　　月　　　日

委任者（患者様本人）　住　所

　　　　　　　　　　　氏　名　　　　　　　　　　　　　㊞

　　　　　　　＊患者様ご自身で名前の記入をお願いいたします。

　　　　　　　　　　　　明治・大正
　　　　　　　　生年月日 昭和・平成・西暦　　　年　　　月　　　日生

（注）委任状の他に、患者様と代理人との関係を証明するものの提出を求めることが
　　　あります。

図2　本人以外　代理人委任状

療機関への情報提供書・状況報告書をコピー，画像データCDを作製し，提供．

【事例2】
　法定代理人（弁護士会照会）より診療内容を把握するため，診療情報（カルテ・X線写真・画像およびレセプトの写し）開示請求あり．主治医・理事長・院長の内容精査後，依頼された期間のカルテをコピー，画像データCDを作製し，提供．

【事例3】
　法定代理人（弁護士会照会）より，交通事故による損害賠償裁判において症状が事故由来のものであったかどうかを証人として法廷で証言するよう，地方裁判所から依頼があったため，主治医・理事長・院長の内容精査後，裁判当日に証人として理事長が出廷・証言を行った．その後，因果関係が認められ，一審で確定した．

【事例4】
　地方裁判所より交通事故による損害賠償裁判において傷害を負った内容を提出するよう依頼があった．主治医・理事長・院長の内容精査後，依頼された期間のカルテ，診療申込書，医療面接書，自費カルテをコピー，画像データCDを作製し，提出．

【事例5】
　保険会社より業務代行として保険算定のため，画像のコピー提供を申請された．代行依頼書および内容を主治医，理事長に確認の上，画像データをCDにコピーし，窓口にて保険会社の担当者へ渡した．

5．費用の請求

　医療施設の管理者は，診療記録等の謄写に要した代金等の実費を，診療記録等の開示を求めた者に請求することができる．

6．診療記録等の開示をしないことができる場合

　歯科医・医師および医療施設の管理者は，患者からの診療情報の提供，診療記録等の開示の申し立てが，次の事由に当たる場合には，診療情報の提供，診療記録等の開示の全部または一部を開示しないことができる．
(1) 対象となる診療情報の提供，診療記録等の開示が，本人または第三者の利益を害するおそれがある時
(2) 診療情報の提供，診療記録等の開示が，患者本人の心身の状況を著しく損なうおそれがある時
(3) 診療情報の提供，診療記録等の開示を不適当とする相当な事由が存する時

7．その他

　カルテは，英語や略語を使わず，患者にわかる言葉で記載しなければならない．また，歯科診療には，健康保険診療と自費診療がある．これらのカルテは別々にしておく必要がある．特に，自費診療では，トラブルが発生した場合に訴訟となることがあるので，より正確に記載しておくことが重要である．

〈伊東隆利・吉武博美〉

5 訪問歯科診療を安全に行うためのポイント

　医学の進歩や介護保険制度の充実によって，疾患や後遺症をもちながら在宅で過ごしている高齢者が増加している．このような状況下でQOLの向上を図る目的として，摂食支援を目標とする訪問歯科診療の認知度が高まり，その必要性が増している．様々な疾患や障害のために外来通院できない在宅患者からの依頼に対して，適切で安全な歯科治療を行うことは，今後の歯科医の重要な役割である．しかしながら，訪問歯科診療は通常の外来診療とは大きく異なる点があり，問題点も多い．

> **訪問歯科診療の問題点**
> 1. 全身状態によってはリスクを伴うことが多い．
> 2. 他職種（医師，看護師，ケアマネジャー等）との連携が必要である．
> 3. 病診連携等，後方支援が不十分なことが多い．
> 4. 治療内容，治療器具，患者の体位等に制限がある．

　以下，訪問歯科診療の仕組みとポイントについて記載する．

1．訪問歯科診療の依頼

　訪問歯科診療の依頼は，本人および家族，地域包括支援センター，ケアマネジャー，病院，老人保健施設等，また，歯科医師会から受けることが多い．依頼時に最低限知っておくべき項目としては，**主訴**，**ADL（日常生活動作）**，**コミュニケーション能力**，**医科疾患名**，**投薬内容**，**患者の生活環境**等である．訪問歯科診療依頼書（**図1**）を作成し，依頼元の施設等に配布しておくと，患者の情報収集が容易になる．また，どの程度の歯科治療が可能か，緊急性の有無，対診の必要性等についてもある程度は判断できる．

2．情報の収集

　訪問歯科診療の依頼を受けた（依頼書を受領する）だけでは，患者の様々な状況（家族構成や協力度，治療歴，介護の必要性等）を把握することはできない．そのため，訪問看護師への問い合わせや医科の治療内容の照会が必要となるケースも多い．また，介護保険利用者の場合は，担当のケアマネジャー（介護支援専門員）との連携により，できるだけ多くの情報を訪問前に収集する必要がある．特に，インフルエンザ，ノロウイルス，COVID-19等のウイルス感染症については，患者のみならず患者家族，施設での発生状況やワクチンの接種状況も確認しておくようにする．ウイルス感染症ではないが，皮癬ダニによる皮膚感染症である疥癬は特に集団発生を起こすことがあり注意を要する．

3．準備（訪問歯科診療に必要なもの）

　歯科治療に**必要な器材・器具**，**吸引装置**，**酸素吸入装置**を始めとして**血圧計**，**心電計**，

III. 偶発症予防のためにできること

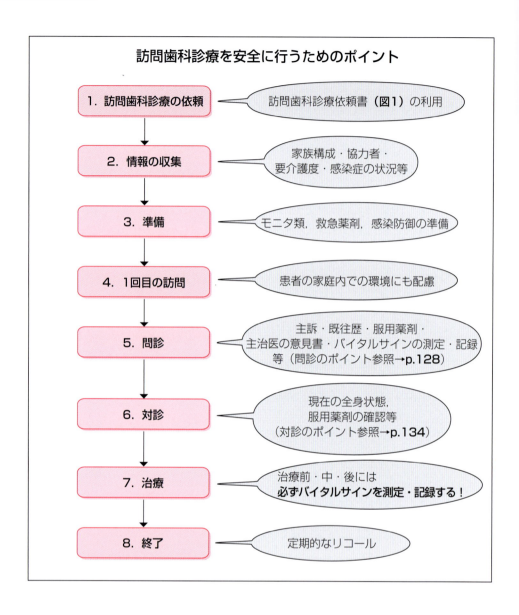

パルスオキシメータ等の各種モニタ類，**救急薬剤**等を持参する．また，感染症対策として，診療時には常にマスク，グローブ，ゴーグル，フェイスシールドの着用，必要に応じて防護服を着用することもあるため，忘れずに持参する．

4. 初回の訪問歯科診療

　訪問歯科診療では，歯科医のチームが家庭に入り込むことから患者本人や家族は普段よりも緊張し，ストレスを感じていることが多い．安全で円滑な診療のためには，まず信頼関係を築くことが大事である．そのためには診療前に患者のおかれている生活環境の把握に努め，さらに周囲の介護者にも配慮する必要がある．特に，キーパーソンを把握しておくことは重要である．

訪問歯科診療依頼書送信表

FAX　○○○-○○○-○○○○

○○歯科医院

○○市○○本町 1－1　電話○○○-○○○-○○○○

年　月　日

1.貴院（施設）名　　　　御担当者名

電話番号　　　　FAX

2.御希望日　平成　年　月　日（ ）　主治医名　　　医師

緊急性の有無（ 有 ・ 無 ）　病院名（医院名）

3.受診者情報（保険証等の転記誤り防止のためご協力お願いします）

ふりがな		保険者番号	
患者名	男	記号番号	
	女	公費番号	
生年月日	M・T・S・H　年　月　日（　歳）	受給者番号	
保険区分	本 人 ・ 家 族	保 険 証 有効期限	年　月　日
現住所	〒（　－　）　電話（　） 市　町 県　郡　村　番地		

通信欄として御利用下さい。

〔主訴〕

〔感染症の有無〕

〔現病歴〕

図１　訪問歯科診療依頼書の例

5. 問診（p.128：問診のポイント参照）

患者の全身状態を把握することが重要であり，主訴を中心として過去に歯科治療によって全身状態に変化が生じた経験がないか，治療に影響のある服用薬剤はないか，等も確認する．患者本人から聴取できない時は，介護者やケアマネジャー等から聴取する．

1）**主訴**：歯科的な問題点を聴取する．その問題点が全身的な基礎疾患，状態に関連していないか？　あるいは，その問題点が摂食機能に何らかの影響を与えていないか？

2）**現病歴**：今までの歯科治療の経過も参考にするために詳細に聴取する．

3）**既往歴**：現在までの既往疾患（高血圧，糖尿病，脳梗塞等）や経過（入院歴や手術の有無等）について聴取する．訪問歯科診療の必要な患者は複数の疾患をもっていることが多い．

4）**服用薬**：処方されている薬剤について聴取する．お薬手帳を患者が所持している場合は有効な情報となる．特に降圧薬，抗血栓薬，ビスホスホネート製剤，血糖降下薬，抗菌薬，ステロイド薬，抗がん剤については服薬歴も含め把握に努める．

5）**医科の主治医**：現在の状況を知るには対診が必要であることが多いため，医療機関名，主治医名について聴取する．複数の医療機関で加療していることも多いので確認する．

6）事業所名等の確認：介護保険適用者では，介護支援事業所およびケアマネジャーの所属機関名，氏名を確認する．そして，介護保険の居宅療養管理指導の適用を検討する．

7）バイタルサインの確認：治療前後に意識状態，脈拍，呼吸，血圧，体温の測定を行い，カルテに記載する．

8）嚥下機能の確認，誤飲・誤嚥防止の対策

初回の訪問歯科診療では，患者の歯科および医科的な問題点を把握することが重要である．治療が必要な場合でも応急処置に留める．患者および家族とのコミュニケーションをとりながら，患者個人に合わせた治療計画の立案を優先する．リスクが高いと判断したら，主治医への対診，二次医療機関に紹介する等，万全の体制で臨むことが肝要である．

9）感染予防対策

訪問診療を必要とする患者の多くは高齢者や有病者であり，感染に対するリスクが自ずと高くなっている．診療にあたっては，常に「感染をしない，させない，広げない」を心がける．

まず，診療にあたり注意するのは，感染リスクから自らの身を守るということである．すべての患者の汗以外の体液が感染源であるとみなし，感染予防対策を講じるスタンダードプリコーション（標準予防策）を念頭に置く．診療に出かける前には体調確認（検温等）を行う．診療前後の念入りな手洗い，うがいも必須である．前述したように診療時には常にマスク，ゴーグル，フェイスシールド，グローブ，必要に応じて防護エプロンを着用する．さらに，ヘッドライトを着用することで，両手での操作が可能となり，診療中にライトに触れるという感染リスクも低くすることができる．

次に訪問歯科診療における感染予防対策として，使用する器具の管理があげられる．診療に使用する器具は，できるだけディスポーザブル製品を使用する．滅菌して使用する場合は一つひとつ，個装の状態で滅菌する．使用後の器具は蓋つきの容器に入れて持ち帰り，訪問先で出た廃棄物はビニール袋にまとめ，医療廃棄物として適切に処理する．診療所外であるからこそ，いっそう清潔と不潔との区分けをしっかりと行うことが重要である．

歯科診療では，歯の切削やスケーリング等，注水下での処理が多く，また補綴装置の調整の際に切削粉塵が発生することから，エアロゾルに対する注意が必要である．エアロゾルとは，気体中に浮遊する微小な液体または固体の粒子と周囲の気体の混合体をいう．このエアロゾルに病原体が含まれ，それが広範囲に飛散してしまうと感染経路となってしまうので厳重な注意が必要である．エアロゾルの飛散を最小限に抑えるには，バキューム機能があるポータブルユニットを使用して，歯の切削等で生じる飛沫や口腔内に溜まった唾液や血液は素早く吸引するようにする．また，義歯やクラウンの口腔外での調整には術者の手元をビニール袋で覆って粉末が広範囲に飛散するのを防ぐ配慮が必要である．調整後の義歯やクラウンには切削時に生じた粉塵が付着しているが，エアーの吹きかけによる除去は慎み，流水で洗い流し，ガーゼで拭き取るようにする．また，印象も感染リスクがあるため，訪問先で印象採得を行った際には，まず現場でしっかりと流水で唾液や血液を洗い流し，診療所に持ち帰ってから除菌剤に浸漬させて，その後技工操作に入る[16, 17]．

6. 主治医への対診（p.134：対診のポイント参照）
（1）現在の全身状態の把握
（2）服薬状況（歯科治療の際に配慮が必要となる薬剤の有無）
（3）外科処置の可否（局所麻酔薬の使用やストレスについて）
（4）嚥下機能の評価
（5）偶発症が起きた場合の対処法について

患者の情報をできる限り収集し，今後必要となる連携の参考とする．

なお，主治医の診察を過去1年以上受けていない時や，主治医がいない場合でも必ず詳細な病歴聴取を行って全身状態を把握する．場合によっては医科を紹介し，受診後に治療を行う等の配慮が必要となる．

7. 治療（2回め以降の訪問歯科診療）

2回め以降の訪問歯科診療に向かう前に，必ず電話で患者の全身状態を把握することが必要である．全身状態によっては応急処置に留め，主治医の診察を優先する．訪問歯科診療の必要な患者に対して，ストレスのかかる診療を行う際は，必ずモニタリングを行って経時的にバイタルサインを測定し，記録をする．診療はなるべく座位で行い，無痛治療を心がけるが，特に異物（修復物等）の気管内・消化管内への迷入に注意する．

患者を安心させるためにも，治療時は介護者および家族を同席させることが望ましい．

8. 治療終了後

定期的なリコールや家族へのアドバイスによって信頼関係を得ておくことが重要である．患者や家族のもつ様々な問題点をよく理解し，医師や看護師やケアマネジャー等，介護関係者との連携によって問題解決を図るようにすることが必要である．

> 訪問歯科診療には限界があることから，リスクが高かったり，使用器具に制限がある場合には，全身管理が可能な有床歯科診療所，歯科病院，総合病院歯科や大学病院等の二次医療機関に患者を紹介する．

〈伊東隆利・廣瀬知二〉

Ⅲ. 偶発症予防のためにできること

6-1 バイタルサインの見方と評価
血圧

　Riva-Rocci-Korotkoff 聴診（水銀式血圧計）による血圧測定法が医学に与えた影響と，その貢献度は図りしれないものがある．この方法が，あまりにも簡単で優れていたことから，それ以降の臨床における間接的血圧測定法の研究と開発は，歩みが止まってしまったといわれる．日進月歩の医学にあって，およそ1世紀もの間，大きな進歩もなく，そのまま使用されているのは驚異でもある．

　しかし，コロトコフ音による血圧測定は安静時のみ有効で，刻一刻と変化する血圧測定は困難であり，拡張期の値は動脈血流が亢進している状態では不正確であるという欠点も有している．

1. 測定方法（間接的血圧測定法）

1）聴診法（図1）

　動脈を圧迫して血流に乱流を起こさせ，発生する音を聴診器で聴取する方法である．上腕部にカフを巻いて，カフの下端付近で上腕動脈の血管音を聴くのが一般的である．カフで動脈を収縮期血圧以上に圧迫すると血流は阻止される．この時の動脈上に置かれた聴診器では音は聴かれない．圧を少しずつ低下させ，カフ圧が収縮期血圧と等しくなった時に，瞬間的に乱流が生じ血管音が聴かれる．これが**コロトコフ音**であり，この時の血圧計の数値を**収縮期血圧（最高血圧，最大血圧）**とする．さらにカフ圧を下げていくと，心周期のうちカフ圧よりも高い間だけ血流が乱流として生じる期間が続き，カフ圧が拡張期よりも低くなると血流は持続的な層流となり血管音は消失する．消失した時の圧を**拡張期血圧（最低血圧，最小血圧）**とする．

　歯科治療中の偶発症発生時に血管音により判定するのは，ある程度の熟練を要し，困難な場合が多いことから，常日頃の修練が重要である．減圧する時に血管音を確認するのではなく，加圧する時に聴診器をカフの中に入れておき，血管音が消失したところを収縮期血圧として概算的に探るのも一方法である．また，コロトコフ音は動脈の圧迫程度に応じて5つの点に区別される．

2）触診法（図1）

　触診法は，橈骨動脈あるいはカフより末梢の動脈拍動を指で触れ，聴診法と同様に上腕カフを用いて，カフをその拍動が消失する圧よりもさらに約30mmHg加圧し，拍動2～3mmHgの速度で減圧して最初の拍動の開始点を収縮期血圧と判定する方法である（拡張期血圧は測定できない）．

　緊急時には聴診法と併用することで応用価値があるものの，この測定法での直接法との比較では，触診法は測定値を5～40mmHgも低く認識する可能性が指摘されている．

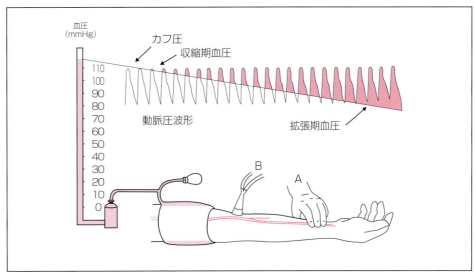

図1 血圧の決定（変動）因子
A：触診法：橈骨静脈の拍動が触れなくなるまで上腕に巻いたカフの圧力を上げる．ついで，ゆっくりとカフ圧を下げ，再び橈骨動脈の拍動を触れるようになる圧を読み，収縮期血圧とする
B：聴診法：上腕動脈で収縮期血圧と拡張期血圧を測定する

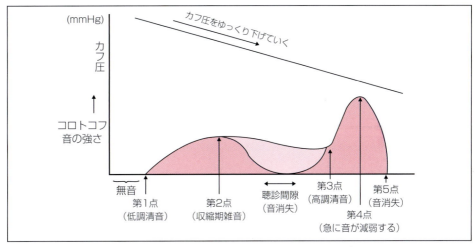

図2 コロトコフ音と聴診間隙（川上編，1991[2]）

3）聴診間隙（図2）

　コロトコフ音の第2点からの収縮期雑音が減弱したり，一時的に聞こえなくなり，さらに下降させると再度聞こえることがある．これを聴診間隙という．高血圧や大動脈狭窄で出現しやすいが，原因は不明である．

　聴診法と触診法の両方を用いて測定することで，聴診間隙を聞きもらさず測定できる．慌てている時は聴診法だけでは測定ができなかったり測定を誤るおそれが大きい．

2. 聴診法による血圧測定の要点

1) 測定器具
① 較正された点検済みの水銀カフ血圧計を使用する（圧力ゼロの時，零位を示し，圧を200mmHgに上げ，弁を全開にすると1秒以内に零位に戻る）
② カフは上腕部の少なくとも2/3を覆うことのできる長さのものを用いる
③ カフの幅が狭すぎると血圧は高めに測定される．広めだと低く測定される．標準サイズは12〜14cm幅のものである
④ 通常は，膜型の聴診器を使用する

2) 測定条件
① 環境を整える（測定前の膀胱充満・寒冷・食事・喫煙・会話等の刺激を避け，5分間の安静を保つ）
② カフはゴム嚢の中央が上腕動脈にかかり，かつ肘窩にかからないようにする
③ 上腕を締め付けるシャツ等を着ている場合は，脱衣させてから巻く
④ カフの中心は心臓と同じ高さに保つ

3) 測定方法
① 血圧計を水平に置く．カフ圧ゼロの時，目盛バーが零位を示す
② 肘窩の上腕動脈の脈拍触知部位を確認し，その上に膜型の聴診器をカフの下に一部かかるように軽く置く
③ カフの下端が肘関節の上1〜2cmとなるようにし，指2本がカフと腕の間に入る程度に皮膚に巻く
④ 橈骨動脈が触れなくなる20〜30mmHg上まで，静脈がうっ血しない程度にカフを急速に膨らませ，目盛バー端が視線と水平になるように注視し，収縮期血圧測定値付近では1拍動2〜3mmHgの速度でカフを減圧する
⑤ コロトコフ音を最初に識別できる点（第1点）を**収縮期血圧**，最後の消失する点（第5点）を**拡張期血圧**とする
⑥ 通常は座位で測定（時に水平・立位でも行う）する
⑦ 脈拍数の測定を同時に行う

4) 血圧計
　非観血式血圧計は，リバ・ロッチ（Riva-Rocci）型 **(図3)** と，タイコス型（Tycos）のスプリングを使用したアネロイド血圧計 **(図4)** がある．

　自動血圧計のほとんどは，カフ・オシロメトリック法（振動法）によるものであり，平均血圧から算出されている．カフ圧を減少させた時に脈圧により動脈壁が振動する時相があり，振動が最大になる時が平均血圧と一致する．この振動をカフ圧を通じて圧力センサーで測定し，その時相による血圧値を測定，認識する方法である **(図5〜7)**．

　測定原理は古くからあり，触診法も一種のカフ・オシロメトリック法である．治療中の血圧は原則として5分間隔で測定するが，治療内容と測定値により10〜15分間隔で測定することもある．

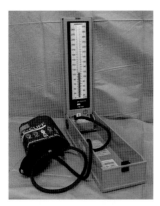

図3 水銀レス血圧計
（ケンツメディコ）

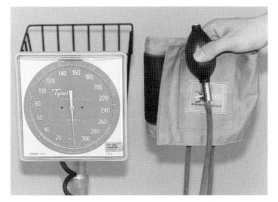

図4 タイコス型（アネロイド）血圧計

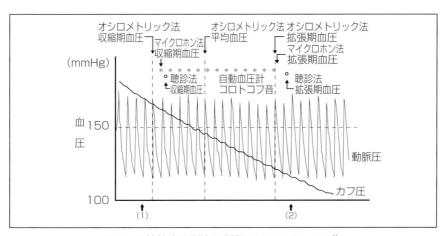

図5 間接的血圧測定の種類（尾前 監修，1993[3]）

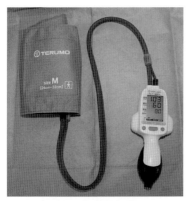

図6 電子血圧計
（テルモ エレマーノ血圧計）
軽量でベッドサイド，チェアサイドで使用

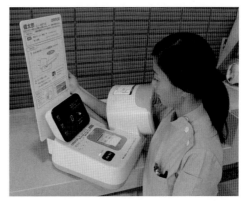

図7 自動血圧計（オムロンヘルスケア 健太郎）
病院や保健所等に設置

3. 平均血圧（図8）

(1) 心室の収縮期に最大→最大〔高〕血圧，収縮期血圧
(2) 心室の拡張期に最小→最小〔低〕血圧，拡張期血圧
(3) 最大血圧－最小血圧→脈圧

心周期（1心周期）の波形面積を積分した値（1拍動の血圧波形と基線で囲まれた面積Sを1拍動の時間tで除した値S/t）であり，臓器血流（灌流）や毛細血管での濾過能力の原動力となる静水圧である．

平均血圧（血圧波形の時間積分）＝拡張期血圧＋脈圧×⅓

4. 血圧の決定（変動）因子（表1）

心臓をポンプと考えると，そこに流入してくる水分量（血液）と流出する量がどれくらいの抵抗（血管）を受けるかによって血圧が決定される．両者が増加する（高血圧になる）と心臓の容積も大きくなり，心収縮性も増大して心臓の仕事量が増える．長期間にわたってこのような状態が続くと左室肥大となり，心臓の酸素需要量は平常時においてもますます大きくなる．

歯科診療中は，血圧変動因子の中で心拍出量および末梢血管抵抗の2因子以外は大きな変動を示さない．したがって，この両者を増加させない管理方法（緊張，不安，痛みの除去と適切な濃度の血管収縮薬の使用）により血圧の上昇を防止できる．

安静時の血圧の把握を行うことはもちろんであるが，血圧は絶対値だけでなくその変動が重要であり，歯科治療中に大きな変動を生じさせないことが大切である．高血圧症の患者の血圧をコントロールするのではなく，歯科治療が可能かどうかの判定資料と偶発事故回避のための血圧測定を考える必要がある．チェア上でカフを装着し，頻回に測定することがかえって血圧上昇等に結びつくこともあるので注意を要する．

5. 身体各部の血圧の差異（図9）

現在，血圧は臨床的には上腕動脈部位で測定され，通常，血圧といえばこの部位で測定された値を意味している．しかし，動脈血圧は血管部位によって異なり，中動脈から小動脈に至る間にわずかに下降し，細動脈で急峻に下降する．また，大動脈より末梢動脈にかけては，脈波の反射の影響を受け，観血的に測定した収縮期血圧は中〜小動脈においては末梢動脈の方が高くなることも知られている．病的には，動脈硬化があるとこれより末梢動脈の血圧は下降する．

動脈内圧は心臓の収縮期に上昇し，弛緩期に下降し，一定の周期で上昇と下降を繰り返す曲線，いわゆる圧脈波（pressure pulse wave）を描く．動脈内圧に反射がなければ，減弱のために末梢に伝わるにつれて次第に小さくなるはずであるが，実際には，主に末梢血管抵抗によりこの部分が閉じられた末端として働き，反射波を生じる．このため，この反射が圧脈波の尖鋭化をきたし，収縮期血圧は大動脈よりも末梢で高く股動脈で最大となる．しかし，拡張期血圧は大動脈血圧に比較して四肢の動脈でも同程度の高さを保ち，平均血圧はわずかに低下する．

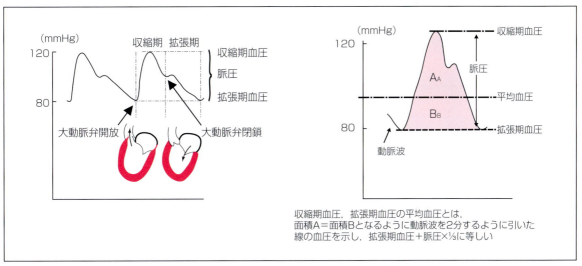

図8 動脈波形と脈圧，平均血圧（川上 編，1991[2]）を改変）

表1 血圧の決定（変動）因子

1. 心拍出量 2. 末梢血管抵抗 3. 循環血液量 4. 動脈壁の弾性 5. 血液の粘性	血圧＝血流量×血管抵抗 血流量：循環血液量，心拍出量，前負荷（静脈還流量），後負荷 　　　　（動脈・末梢血管抵抗） 血管抵抗：血管の収縮拡張（動脈硬化），血液粘稠度

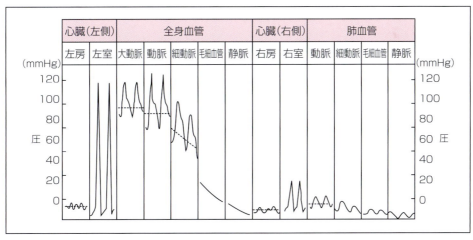

図9 身体各部の血圧差異（Shepherd ら，1983[4]）

　肺循環で酸素化された血液は左房から左室へ還流されると，左室の強力な収縮により高圧をもって大動脈へ駆出される．動脈→細動脈→毛細血管と高抵抗系へ送られるにつれて内圧は急速に低下し，静脈から右房へと還流するところはほぼ0レベルに低下している．
　右室収縮によって再び圧を高められた血液は，肺動脈から肺循環系へと駆出されていく．

◆「高血圧患者の見方」については，p.170〜173 を参照されたい．

〈渋谷　鑛〉

6-2 バイタルサインの見方と評価
脈拍

Ⅲ. 偶発症予防のためにできること

脈拍（動脈拍動）は，心臓の収縮により生じた圧波が全身の動脈に伝播した結果，体表で触知できる拍動である．

1回心拍出量，駆出速度，大動脈弁，動脈壁の硬化度，末梢血管の緊張度等によって規定される．一般的な測定部位は，橈骨動脈，総頸動脈，上腕動脈，足背動脈等である．系統的には左右同時に，時には中枢側と末梢側とを同時に触診する．触診は第2（示指），3（中指），4（薬指）の3本指を用いて行う．代表的な部位を図1に示す．

1. 脈拍数
脈拍数は，不整がなければ通常15秒間数えて，それを4倍する．
不整がある時は60秒間以上（3～5分）数えて，その平均をとる．
1) **頻脈（100回/分以上）**：交感神経興奮，疼痛，精神的興奮，発熱，甲状腺機能亢進症，ショック時の代償性頻脈（心不全），頻脈性不整脈，心房粗動等
2) **徐脈（49回/分以下）**：迷走神経反射（疼痛性ショック），房室ブロック，頭蓋内亢進（脳出血），洞機能不全症候群（SSS）等

2. 規則性（リズム）
呼吸性不整脈，心室性期外収縮（二段脈，三段脈），心房細動等（p.18～23参照）

3. 脈の大小（図2）
脈圧（収縮と拡張期血圧の差）の大小と緊張度は**収縮期血圧（最高血圧）**を表す．脈の大小は触診している指を持ち上げる圧力を，緊張度は3指を末梢動脈の上に置き，両側の指で血管を圧迫し，中央の指で脈拍が触れなくなるのに要する力によって知ることができる．橈骨動脈や総頸動脈の触知を繰り返し行い，手指の感触によっておよその収縮期血圧を把握することは可能である．総頸動脈が触知できれば収縮期血圧はおよそ40～50mmHg以上である．
1) **大脈**：心拍出量が大きい脈．大動脈弁閉鎖不全，甲状腺機能亢進症，動脈硬化または加齢に伴う高血圧症，多血症等
2) **小脈**：心拍出量が小さい脈．急性心筋梗塞，僧帽弁狭窄症，低血圧等
3) **交互脈**：心拍出量が大きくなったり，小さくなったりする脈．動脈硬化性心疾患や心筋症の場合．左室不全の徴候の一つである

4. 脈の遅速（図3）
脈の立ち上がりの速さが緩徐でゆっくり低下するものを**遅脈**，立ち上がりが急峻でたち

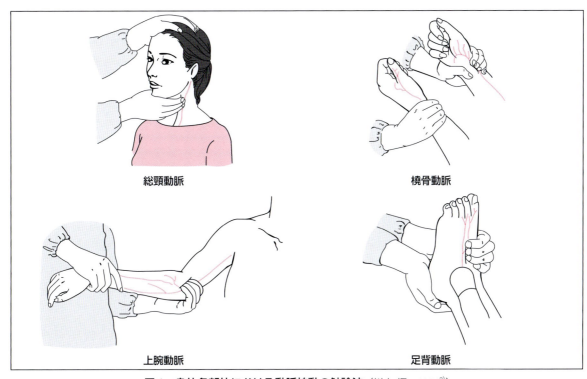

図1　身体各部位における動脈拍動の触診法（川上 編, 1991[2]）

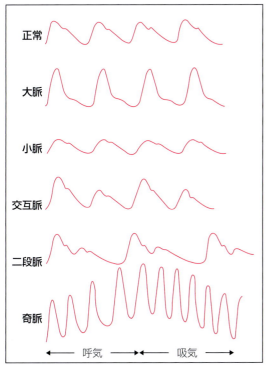

図2　脈の大きさ

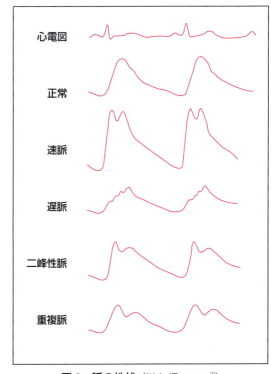

図3　脈の性状（川上 編, 1991[2]）

まち消えるものを**速脈**という．
 1）遅脈：大動脈弁狭窄，動脈硬化症，甲状腺機能低下等
 2）速脈：大動脈弁閉鎖不全，甲状腺機能亢進症，発熱等
 また，速脈で脈圧が正常の場合は僧帽弁閉鎖不全，心室中隔欠損，肥大型閉塞性心筋症等にみられる．

5．脈の緊張度，動脈壁の性状

　緊張度は，3本の指（示指，中指，薬指）を末梢動脈の上に置き，中枢側の指の圧迫を漸次強めていき，拍動の強さによって観察する．弱い圧迫で拍動が触れないものを"緊張が弱い"といい，強い圧迫で拍動が消失しない場合を"緊張が強い"という．脈拍の緊張度は収縮期血圧と関連がある．
　動脈硬化のある血管では，延長・蛇行する．片側の手指で患者の橈骨動脈を強く圧迫して血流を途絶させ，他側の手指を用いて末梢側の血管を横に転がすようにして触診する．

6．橈骨動脈での脈拍の触診

　指先を橈骨動脈に沿って平行におき，最初は均等に力を加える．3本の指先で脈拍に触れることができ，脈拍数やリズムの整，不整を知ることができる．ついで，心臓側に置かれた指（薬指と中指）に力を加え，橈骨動脈の拍動が示指に伝わらなくなるまで圧を加える．この方法によって脈の大小や弾力性等を知る．さらに，3本の指の力を橈骨動脈の走行と直角に加え，血管壁の硬さを知り，動脈硬化性の変化の有無を調べる．

7．脈拍の触れにくい場合

　脈拍が非常に弱く触知しにくい時は，手掌を握ったり広げたりする動作を10～15回繰り返させ，その後で触知すると触れるようになる．手掌の掌握や伸展によって血管の緊張度を高められることによる．

8．緊急時の脈拍の触知（図4）

　緊急時に脈拍を触診するだけでなく，日常の歯科治療中に顔面動脈，上唇・下唇動脈を触知しながら処置を行う習慣をつけると，脈拍数の変化等から患者の不安の程度や痛みの変化を察知することができるので有用である．

バイタルサインの見方と評価——脈拍

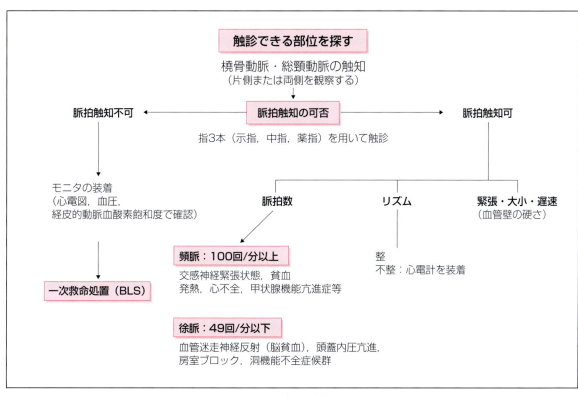

図4 緊急時の脈拍の見方

〈渋谷　鑛〉

偶発症予防のためにできること

III. 偶発症予防のためにできること

6-3 バイタルサインの見方と評価
動脈血酸素飽和度

動脈血酸素飽和度（SaO_2）を非侵襲的に知るには，**経皮的動脈血酸素飽和度（SpO_2）**を測定する．これを測定する機器として**パルスオキシメータ**がある．

1. 動脈血酸素飽和度（SaO_2）とは

動脈血液中の酸素量の指標として SaO_2 が重要な意味をもつ．SaO_2 の測定を必要とする場合を**表1**に示す．

生体にとって最も危険で，避けなければならないのは**低酸素症**（ハイポキシア：身体の酸素不足，ハイポキセミア：血液の酸素不足）である．その低酸素症の典型が**チアノーゼ**であり，血液中の酸素不足を意味し，血の気のない青白い皮膚・粘膜・爪床を示す臨床徴候である（**p.52** 参照）．

そして，血液の酸素化の良否は，ある程度，呼吸の状態（呼吸音，回数，大小等）や皮膚，粘膜，爪床の色を注視することで推測できるが，感覚の誤認は避けられない（**表2, 3**）．

2. 酸素解離曲線（図1）

酸素が血液で運搬される際，大部分はヘモグロビン（血色素）と結合した状態で運ばれる．物理的（血漿）に溶解して運搬されるのは全体の2％以下である．酸素とヘモグロビンの結合は緩く，可逆的である．結合には限界があり，1分子のヘモグロビンは最大限4分子の酸素と結合する．

実際に結合した酸素量と最大限結合可能な酸素量の比を**ヘモグロビン飽和度（酸素飽和度）**という．酸素飽和度は酸素分圧に比例せずS字状の曲線を描く．これが**酸素解離曲線**である．

3. パルスオキシメータ（経皮的動脈血酸素飽和度測定装置）の特徴

1) **非侵襲**（採血等による痛みがない）
2) **リアルタイム**（トラブル発生時点で情報が得られる）
3) **オンライン**（情報を直接とっていることから分析機器まで持っていく必要性がない）

モニタの3条件を満たす．手指にプローブを装着するだけで，高い測定精度，速い反応，簡便な測定操作が容易である．

経皮的動脈血酸素飽和度（SpO_2）だけを表示するモニタもあるが，全体的な血流の変化も検出され，血液量の変化として指尖容積脈波が表示される機器の方が有用性がより高い．

表1　SaO₂の測定が必要な場合

1. 高齢者（65歳以上）
2. 喫煙者（ヘビースモーカー）
3. 呼吸器疾患，在宅酸素療法患者
4. 循環器疾患患者（高血圧，狭心症，心筋梗塞）
5. 脳血管障害患者
6. 全身麻酔，静脈内鎮静時
7. 肥満患者
8. 訪問歯科診療時
9. その他（貧血，糖尿病，脂質異常症等）

表2　SaO₂と酸素分圧の関連性

SpO₂（%）	酸素分圧（mmHg）	
98	100	（動脈血：若年成人）
97	90	
95	80	（動脈血：高齢者）
93	70	
89	60	
83	50	
80	45	時にチアノーゼを認める
75	40	（混合静脈血）
70	37	チアノーゼは確実

歯科治療中SpO₂が90%以下になったら，速やかに酸素投与する

表3　体位と動脈血酸素分圧（mmHg）（上田，1997[5]）

年齢	座位	仰臥位
20歳	98.8	95.1
40歳	93.4	86.7
60歳	88.0	78.3
80歳	82.6	69.9

加齢と仰臥位で動脈血酸素分圧は低下する．
また，心肺機能が低下している場合はその傾向が大きい．
⇨水平位診療一辺倒は問題あり

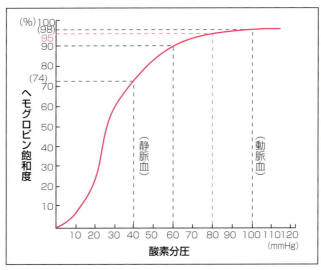

図1　酸素解離曲線（37℃，pH = 7.40）

4. パルスオキシメータの測定原理（図2，3）

Lambert-Beerの法則（水に溶解した色素は光を吸収し，吸光量は溶解色素濃度に比例する）に基づいている．

組織や静脈血の吸光成分は一定であるが，動脈では拍動によって測定部位の幅，光路長が変化し，それに伴って吸光係数が変動する．短時間に光を点滅させ，透過光を測定し変動部分が動脈血の吸光成分で，変動しない部分が組織や静脈血による吸光成分であることを応用している．すなわち，酸化ヘモグロビン（HbO_2）とヘモグロビン（Hb）の比（酸素飽和度）を計算できることになる．さらに，パルスオキシメータで用いられる光の波長は還元ヘモグロビンに強く吸収された赤色光（660nm）と，HbO_2に吸収されやすい赤外色（940nm）を用いて両者の透過光量を測定し，その比から酸素飽和度を計算している．動脈血酸素飽和度だけを測定するために，動脈血の拍動性に変化する吸光量を脈波として測定し，他の雑音信号と区別するプログラムが組み込まれている．

5. 何がわかるか

パルスオキシメータは，脈拍ごとにSaO_2を測定できるが，SaO_2そのものではないので，経皮的に測定した値をSpO_2と表記する．

酸素飽和度は，%O_2HbあるいはSaO_2として測定されてきた．%O_2Hbは，還元Hbと機能異常Hb（メトヘモグロビン：MetHbやカルボキシヘモグロビン：COHb）を含むHb総量に対する酸化Hbの比率である．

一方，SaO_2は酸素と結合しうる，あるいは酸素を運搬できるHb量に対するHbO_2の比率である．健康人では，%O_2HbとSaO_2の較差は3%以下である．喫煙者やある種の局所麻酔薬投与を受けてMetHbが異常に上昇した人の場合には，較差が増大する．パルスオキシメータで得られる値は，COHbをHbO_2の一部として測定するので，%O_2HbでもSaO_2でもない第3の酸素飽和度（SpO_2）である．このためCOHbが増加した場合，SpO_2は低酸素症を見落とす危険性もありうる．

6. パルスオキシメータの測定値が低い原因

表4の因子によって測定値は低く表示されるので，原因に応じて対処する．

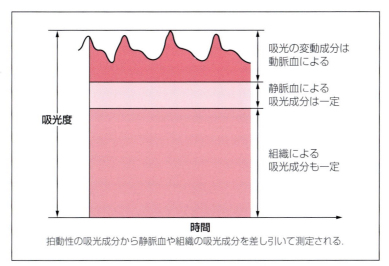

図2 測定原理（諏訪, 1989[6]）

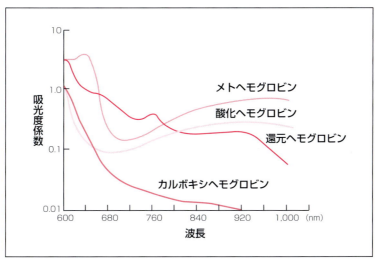

図3 ヘモグロビン吸光曲線（諏訪, 1989[6]）

表4 動脈血酸素飽和度に影響する因子（見﨑 他編, 2015[7]）

1. 体動
2. マニキュア
3. 貧血
4. 末梢循環不全（動脈硬化症，糖尿病等）
5. 外部からセンサーへの光の侵入（プローブの位置のずれによる）
6. 静脈が拍動する病態（三尖弁逆流，右心不全）
7. 異常ヘモグロビン（カルボキシヘモグロビン，メトヘモグロビン）
8. 色素（インジゴカルミン，メチレンブルー）の影響

〈渋谷　鑛〉

6-4 バイタルサインの見方と評価
呼吸

呼吸の観察は通常，視診により行われる．

安静時における**成人の呼吸数の基準値は 10 〜 20 回 / 分**，呼吸の深さ（1 回換気量）の**基準値は 400 〜 500mL** である．

1. 呼吸の観察（図 1，2）

呼吸の観察は胸部の動きから口元・鼻先で，まさに息を感じることから始める．さらに，聴診器を用いて，喘鳴（呼気の喘息様笛吹音），呼気・吸気の延長（気管支喘息では呼気延長），視覚的にはチアノーゼ，舌根沈下の有無，吸気時の鎖骨上窩，肋骨，胸骨中央部の陥没（奇異呼吸），胸郭運動の左右差等をみる．すべての呼吸抑制には酸素吸入を行う必要がある．

2. 呼吸の数と深さの異常（表 1）

3. 換気量と肺胞換気量（図 3）

呼吸は**数と深さ**を注意しなければならない．

通常，1 回の呼吸量（1 回換気量）は 400 〜 500mL，呼吸数は 14 〜 16 回 / 分で，1 分間の換気量（分時換気量）は 400 〜 500mL×14 〜 16＝5,600 〜 8,000mL である．1 回換気量には鼻腔から末梢気管支までの気量（解剖学的死腔：約 150mL）があり，これを引いた量が**肺胞換気量**になる．すなわち，肺胞換気量＝1 回換気量－死腔量で，6,000mL の分時換気量の場合，（500－150）×14 〜 16＝4,900 〜 5,600mL である．

この例で，何らかの原因で 1 回換気量が 300mL に減り，呼吸数が 20 回になった時，死腔量はほとんど変わらないので，分時換気量は 300mL×20＝6,000mL と同じであっても肺胞換気量（300－150）×20＝3,000mL となり，1,200mL 減少したことになる．

呼吸は，数だけでなく深さにも注意しなければならない．いわゆる脳貧血（様）発作等で呼吸が弱くなった時は，深呼吸をしてもらうようにすることは呼吸の解剖生理学上有効である．

4. 肥満患者には水平位が苦しい

肥満患者では胸郭の加重，胸椎の後彎，腹壁加重，腹圧上昇による横隔膜挙上等で予備呼気量，1 回換気量の低下がみられる．さらに，末梢気道の閉塞により低酸素症を呈することが多い．水平位一辺倒での診療には厳重な注意が必要である．

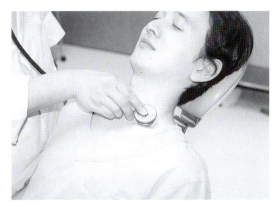

図1　鎖骨上窩の聴診
聴診法により呼吸を観察する

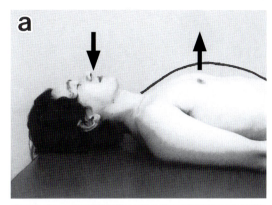

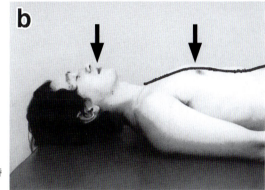

図2　奇異呼吸
a：正常な呼吸：前胸部が吸気時に挙上し，呼気時に下降する
b：奇異呼吸：吸気時に前胸部が下降して上腹部が挙上し，呼気時に前胸部が挙上して上腹部が下降する

表1　呼吸の数と深さの異常（日野原 他，1985[8]）

	呼吸数	1回換気量	原因
頻呼吸	↑	→	拘束性換気障害，心不全，肺炎
徐呼吸	↓	→	閉塞性換気障害，脳圧亢進
過呼吸	→	↑	過換気症候群，甲状腺機能亢進症，貧血
減呼吸	→	↓	睡眠中，呼吸筋麻痺，腹水
多呼吸	↑	↑	過換気症候群，発熱，不安，疼痛，興奮
少呼吸	↓	↓	死戦期，睡眠薬やモルヒネ中毒

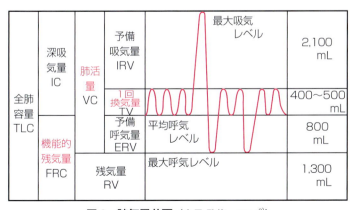

図3　肺気量分画（金子 監修，2011[9]）

5. 呼吸困難度の分類
Hugh-Jones の呼吸困難度分類（**表2**）と簡便な呼吸機能検査（**表3**）がある．

6. 起坐呼吸
呼吸困難が強い場合に，仰臥位になれずに起坐して，ものに寄りかかる体位をとること．
心不全患者では左室充満圧と肺毛細管圧が上昇し，肺内への血漿成分の漏出が生じる．このため，患者は呼吸困難とピンク色の泡沫状の喀痰を喀出するようになる（急性肺水腫）．水平位では肺が心臓よりも下に位置するが，起坐位では肺が心臓よりも上部にあるために，静脈還流（肺血流）が減じ，肺うっ血が改善するため，起坐位では水平位に比べ，胸腔内圧は 40cmH$_2$O 以上低くなり呼吸運動も楽になる．

7. 呼吸の型（図4）
1）チェーン・ストークス呼吸
代表的な周期的呼吸で，1〜3分の周期で呼吸が次第に深く大きくなり，一定の深さになると，今度は徐々に減衰してついには無呼吸となる型である．
脳圧亢進，薬物（モルヒネ，アルコール）中毒や重篤な心不全患者にもみられる．
心拍出量の著明な減少によって肺から脳までの血流速度が減少し，二酸化炭素分圧の上昇と低下を繰り返し，呼吸抑制と過換気症候群を起こす．

2）クスマウル呼吸
ゆっくり，深い呼吸パターンで，呼吸の不整はない．
糖尿病性ケトアシドーシス患者でみられる．

3）ビオー呼吸
規則性のない，深く速い呼吸の中断による無呼吸と，直前の呼吸パターンに戻ることを繰り返す型である．
脳腫瘍，脳膜炎，頭部外傷等，呼吸中枢の興奮性の低下による．

4）口すぼめ呼吸
口をすぼめてゆっくり呼気を行う呼吸パターンで，呼気の延長がみられる．
肺気腫患者に特徴的な呼吸の異常である．

8. 呼吸に関連の強い自覚症状
1）咳
咳は，気道から異物を排除しようとするための生体の防御反射の一つであり，深い吸息の後の突然の強制呼息である．気道の炎症，異物刺激等で生じる．頻回の咳は全身性疲労，筋肉痛等を伴い，ますます呼吸に不利な状況をもたらす．

2）痰
痰は気道の分泌物であり，咳によって喀出される．粘稠な痰は換気障害を起こす．多量の痰や粘稠な痰をもつ患者は多くの場合に息切れを訴える．

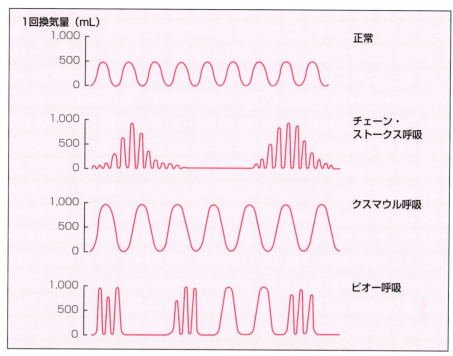

図4 呼吸の型 (川上 編, 1991[2])

表2 Hugh-Jones の呼吸困難度分類 (日野原 他, 1985[8])

Ⅰ度	同年齢の健康人と同様の労作ができ，歩行，階段の昇降も健康人なみにできる
Ⅱ度	同年齢の健康人と同様に歩行できるが，坂，階段の昇降は健康人なみにできない
Ⅲ度	平地でさえ健康人なみには歩けないが，自分のペースでなら 1.6km 以上歩ける
Ⅳ度	休みながらでないと 50m 以上歩けない
Ⅴ度	会話，着物の着脱にも息切れがする．息切れのため外出できない

表3 簡便な呼吸機能検査 (川上 編, 1991[2])

呼吸停止時間（ストッピングタイム）	深い呼気後の呼吸停止時間の測定．基準値は，男性 40〜120 秒，女性 30〜80 秒．30 秒以下は軽症，20 秒以下は中等症，15 秒以下は重症
マッチテスト	口元から 15cm 離したところでマッチを燃やし，口を開いたまま吹き消すことができた時は，呼吸機能の中等度障害，8cm 以下では高度障害
キャンドルテスト	ローソクの火を吹き消すことができる距離で判定する．60cm 以下では軽度障害，40cm では中等度障害

3）息切れ，呼吸困難

呼吸は普通，無自覚に行われているが，呼吸に際して苦痛を自覚することもある．呼吸困難と同義語である．急性か慢性かの区別とともに，労作時（心疾患，慢性気管支炎，肺気腫，貧血等），安静時（自然気胸，肺水腫，肺栓塞，肺炎，精神性呼吸困難等），仰臥時（起坐呼吸は心不全，気管支喘息，慢性気管支炎等）の誘因をあらかじめ問診で確かめることが重要である．吸息性は上気道，呼息性は下気道の閉塞を意味する．

4）胸痛

胸痛は，胸壁の種々の疾患や外傷，胸膜疾患，肺疾患，心疾患の際に生じる．胸痛は，呼吸運動の妨げとなり，換気を強く障害する．

〈渋谷　鑛〉

III. 偶発症予防のためにできること

7 亜酸化窒素（笑気）吸入鎮静法を有効に行うためのポイント

1. 亜酸化窒素（笑気）吸入鎮静法の有用性

　笑気（亜酸化窒素）吸入鎮静法は低濃度（30％以下）の亜酸化窒素と高濃度（70％以上）の酸素（空気中の酸素濃度は約21％）の混合ガスを鼻マスクから吸入させることにより，歯科治療や局所麻酔に対する不安感や恐怖心を軽減することができる方法である（**図1**，**表1**，**2**）．さらに高濃度（70％以上）の酸素を同時に投与することにより，吸入酸素濃度を35〜40％に上昇させることができることから，治療の安全性を高める．

　亜酸化窒素吸入の効果の発現と消失は極めて速やかで，呼吸器や循環器にほとんど影響を与えないため，肺や心臓に障害をもっている患者にも安全に使用できる．特に以下のような患者には有用性が高い．

① 循環器疾患を有する患者は痛み（身体的ストレス）や不安（精神的ストレス）によって容易に血圧や脈拍数が変動する．低濃度亜酸化窒素の鎮静作用によりストレスを軽減させ，急激な血圧上昇や脈拍数の増加を予防する．さらに，亜酸化窒素とともに高濃度酸素を投与しているため，心臓への酸素供給が不足している狭心症，心筋梗塞の既往がある患者等では偶発症のリスクを抑えることができる．

② 歯科治療が大の苦手で，来院するのに「一大決心が必要」という歯科治療恐怖症の患者は少なくない．このような患者は脳貧血（様）発作や過呼吸発作の予備軍である．亜酸化窒素（笑気）吸入鎮静法によってリラックスした状態で治療を行えば，様々な全身的偶発症を予防することができる．

③ 嘔吐反射（異常絞扼反射）の多くは精神的なものが原因となっている．そこで亜酸化窒素吸入によって緊張を軽減すると治療が円滑に行えるようになることも稀ではない．

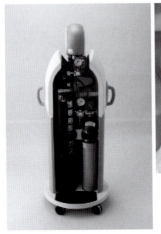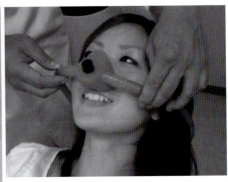

図1　亜酸化窒素吸入鎮静器（サイコリッチ T-70）

表1 主な至適鎮静度の徴候

1. 自覚症状
   - ほろ酔い気味等の快適な気分になる
   - 身体がポカポカする
   - 手足がジンジンする感じがする
2. 他覚症状
   - リラックスしている
   - 瞬きする回数が少なくなる
   - 応答がやや鈍く（遅く）なる

表2 亜酸化窒素（笑気）吸入鎮静法をより有効に行うためのポイント

- あらかじめ鼻マスク（鼻カニューラ）を適合させて，酸素を投与しながら鼻呼吸の練習をする
- 亜酸化窒素濃度を徐々に上げて至適鎮静度を見極める
- 必ずしも上限の30％まで亜酸化窒素濃度を上げる必要はない
- 治療中も時々，鼻呼吸による深呼吸を促す
- 患者からの応答はうなずいたり，手で合図してもらい，口頭では返事をしないようにする

2. 安全・快適な医療提供のために

　初診時に詳細な問診（医療面接）を行い，バイタルサイン（血圧・脈拍・呼吸・動脈血酸素飽和度等）の測定・記録を行い，必要に応じて診療情報提供書で医科主治医に対診する．

　局所麻酔を行う場合，局所麻酔薬といえども全身へ影響が及ぶことを常に念頭に置き，治療前から経時的（5～15分ごと）にバイタルサインを測定・記録しながら，必要に応じて亜酸化窒素（笑気）吸入鎮静法を併用することにより，ストレスを軽減するとともに，さらに無痛下での局所麻酔，精神面でのケアを十分に行いながら，偶発事故を予防するために万全の配慮をすることが最も重要である．

〈見﨑　徹・関野麗子〉

Ⅲ. 偶発症予防のためにできること

8 高血圧患者の見方

　初診時に患者が問診票に記載している全身疾患としては，「高血圧」との回答が圧倒的に多い．それもそのはずで，高血圧は日本で疑いのある人も含めると人口の約 1/3（4,300万人）を占める，最も患者数の多い生活習慣病[13]である．日々，そのような患者が歯科医院を訪れる状況の中で，我々は何に気をつければ良いのか？

1. 高血圧の実態を知ろう

　高血圧について，標準的な指針としてまとめられたものが『高血圧治療ガイドライン第 5 版 2019』（日本高血圧学会）で，高血圧の診療に関わるすべての医師や医療従事者の基礎となっているので，高血圧患者に対して歯科治療を行うに際しては参考にする必要がある．

　血圧は数値によって分類されている．以前から高血圧の診断としては，診察室血圧の他，家庭血圧が大きな意味をもつことが知られており（**表1，2**），本ガイドラインにおいても家庭血圧を指標とした治療が強く推奨されることとなった．そこで，血圧値の分類に家庭血圧が追加されたのである（**表3**）．

2. 高血圧が危険な理由

　血圧が高くなればなるほど，心筋梗塞や脳卒中といった日本人の死因の上位を占める致死的偶発事故のリスクが高まることはよく知られている．しかし，高血圧は痛みや不快感等の自覚症状がほとんどないことから，本人は病気の進行に気づきにくい．さらに，見た目にも異常がわかりにくいため，家族ですら気づきにくい．そしてある日突然，重篤な事態に陥いる，という危険性を十分秘めている病気である．死に直面して初めて診断が下る高血圧という疾患が，"サイレントキラー"（静かなる殺人者）といわれる所以である．

3. 院内で患者の血圧を測定・記録する習慣をつける

　血圧計を用いて初めてわかる病気が高血圧ならば，逆に言えば測定しなければ絶対にわからない．医療の安全性について声高に叫ばれるようになった現代においては，歯科医院に生体情報モニターを備え，目の前の患者の血圧を測定し記録する重要性はますます高まってきている．

　なお，血圧計には上腕にカフを巻くタイプのものと手首に巻くタイプのものがある．手首タイプは装着も比較的簡便ですぐに測定できるメリットがある一方，数値が不正確になりやすいという欠点がある．日本高血圧学会では，上腕にカフを巻くタイプの使用を推奨しているので，手首タイプはあくまでも補助的な使用に留め，上腕タイプの血圧計の設置は必須である．

表1　診察室血圧測定法（日本高血圧学会高血圧治療ガイドライン作成委員会 編，2019[13] より）

1. 装置	a. 電子圧力柱（疑似水銀）血圧計またはアネロイド血圧計を用いた聴診法による測定，および上腕式の自動血圧計による測定が用いられる
	b. 聴診法では，カフ内ゴム嚢の幅13cm，長さ22〜24cmのカフを用いる．上腕周27cm未満では小児用カフ，太い腕（腕周34cm以上）で成人用大型カフを使用する
2. 測定時の条件	a. 静かで適当な温度の環境
	b. 背もたれつきの椅子に脚を組まずに座って数分の安静後
	c. 会話をかわさない
	d. 測定前に喫煙，飲酒，カフェインの摂取を行わない
3. 測定法	a. 前腕を支え台等に置き，カフ下端を肘窩より2〜3cm上に巻き，カフ中央を心臓の高さ（胸骨中央あるいは第4肋間）に維持する
	b. 聴診法では橈骨動脈あるいは上腕動脈を触診しながら急速にカフを加圧し，脈拍が消失する血圧値より30mmHg以上高くして聴診器をあてる
	c. カフ排気速度は2〜3mmHg/拍あるいは秒
	d. 聴診法ではコロトコフ第I相の開始を収縮期血圧，第V相の開始を拡張期血圧とする
4. 測定回数	1〜2分の間隔をあけて少なくとも2回測定．この2回の測定値が大きく異なっている場合には，追加測定を行う
5. 判定	a. 安定した値を示した2回の平均値を血圧値とする
	b. 高血圧の診断は少なくとも2回以上の異なる機会における血圧値に基づいて行う
6. その他の注意	a. 初診時には，上腕の血圧左右差を確認．以後は，測定側（右または左）を記載
	b. 厚手のシャツ，上着の上からカフを巻いてはいけない．厚地のシャツをたくし上げて上腕を圧迫してはいけない
	c. 糖尿病，高齢者等，起立性低血圧の認められる病態では，立位1分および3分の血圧測定を行い，起立性低血圧の有無を確認
	d. 聴診法では，聴診者は十分な聴力を有する者で，かつ測定のための十分な指導を受けた者でなくてはならない
	e. 脈拍数も必ず測定し記録

表2　家庭血圧測定の方法・条件・評価（日本高血圧学会高血圧治療ガイドライン作成委員会 編，2019[13] より）

1. 装置	上腕カフ・オシロメトリック法に基づく装置
2. 測定環境	1）静かで適当な室温の環境
	2）原則として背もたれつきの椅子に脚を組まずに座って1〜2分の安静後
	3）会話をかわさない環境
	4）測定前に喫煙，飲酒，カフェインの摂取は行わない
	5）カフ位置を心臓の高さに維持できる環境
3. 測定条件	1）必須条件　a）朝（起床後）1時間以内，排尿後，朝の服薬前，朝食前，座位1〜2分安静後
	b）晩（就床前），座位1〜2分安静後
	2）追加条件　a）指示により，夕食前，晩の服薬前，入浴前，飲酒前等
	その他適宜，自覚症状のある時，休日昼間，深夜睡眠時
4. 測定回数とその扱い	1機会原則2回測定し，その平均をとる
	1機会に1回のみ測定した場合には，1回のみの血圧値をその機会の血圧値として用いる
5. 測定期間	できる限り長期間
6. 記録	すべての測定値を記録する
7. 評価の対象	朝測定値7日間（少なくとも5日間）の平均値
	晩測定値7日間（少なくとも5日間）の平均値
	すべての個々の測定値
8. 評価	高血圧　　　朝・晩いずれかの平均値≧135/85mmHg
	正常血圧　　朝・晩それぞれの平均値＜115/75mmHg

表3 成人における血圧値の分類 （日本高血圧学会高血圧治療ガイドライン作成委員会 編，2019[13] より）

分類	診察室血圧（mmHg）			家庭血圧（mmHg）		
	収縮期血圧		拡張期血圧	収縮期血圧		拡張期血圧
正常血圧	<120	かつ	<80	<115	かつ	<75
正常高値血圧	120〜129	かつ	<80	115〜124	かつ	<75
高値血圧	130〜139	かつ/または	80〜89	125〜134	かつ/または	75〜84
Ⅰ度高血圧	140〜159	かつ/または	90〜99	135〜144	かつ/または	85〜89
Ⅱ度高血圧	160〜179	かつ/または	100〜109	145〜159	かつ/または	90〜99
Ⅲ度高血圧	≧180	かつ/または	≧110	≧160	かつ/または	≧100
（孤立性）収縮期高血圧	≧140	かつ	<90	≧135	かつ	<85

4. 血圧値の覚え方

　我々が歯科治療に際して測定する血圧は，前述の血圧値の分類においては「診察室血圧」（外来血圧とも言う）に該当する．この分類はあまりに細やかなため，実際の臨床現場で瞬時に評価するには少々難があると感じたので，ここでザックリとした覚え方を紹介したい．診察室血圧の評価は，「意欲（149）あふれる，ハイな人」（図1），このように覚えておくとよい．

5. 歯科治療時における血圧の評価

　歯科治療時には，大小の差はあれど様々な精神的ストレス下におかれる．高血圧患者であればなおのこと，治療時のストレスによって血圧や脈拍は平常時以上に変動をきたしやすくなる．そこで治療時，特に初診時，局所麻酔使用前は血圧，脈拍等をモニタリングしながら行うことが偶発症予防のためには重要である．

　高血圧患者であっても，内科の指示を受けながら規則正しい服薬によって血圧がコントロールされており，かつ脳血管障害や心疾患の既往がない場合の血圧値に対する歯科治療時の対応は下記を参考にされたい[18]．

・160/100mmHg 以下（両方ともに）であれば，通常の歯科治療は可能
・収縮期血圧が 160mmHg 以上になったら，いつでも中断できる体制をとる
・収縮期血圧が 180mmHg 以上になったら，治療を中断し安静にする
・収縮期血圧が 200mmHg 以上になったら，治療の続行は危険である

これらの数値と対応については，「いろはに，ほとけ」（図2）と覚えておく．

6. 未治療の高血圧が疑われたら

　日常的に全身管理を行っていると，本人が自覚していない高血圧がわかることがある．それは何年も健康診断を受けていない方に多い．歯科での外来血圧が高値で家庭血圧も高い場合は，診療情報提供書による内科対診が必要である．単に文書を渡すだけでなく，家庭での血圧測定の重要性を伝え，上腕タイプの血圧計にて測定した家庭血圧の測定値を記録した資料を内科受診の際に持参するようにと，一言付け加えるだけで患者との信頼関係

| 図1 診察室血圧の評価 | 図2 血圧値に対する歯科治療時の対応 |

はより高まる．つまり，「この歯科医院は，歯科治療だけに留まらず，患者の健康をしっかり考えてくれる歯科医院だ」と，そして我々はより安全な歯科治療の遂行へと繋げることができる．

COLUMN

スルーしてはダメ，「白衣高血圧」

白衣高血圧とは，診察室外の血圧（例えば家庭血圧等）は正常血圧であるが，診察室血圧が高血圧（140/90mmHg以上）を示す状態である，と定義されている[13]．歯科治療に際し，患者の血圧測定を習慣的に行っていると，時々収縮期血圧が200オーバーする等，ビックリするほどの高い血圧値に出くわすことがある．そのような時は，筆者は患者を驚かせないよう配慮しながら「血圧，ちょっと高いですね．健康診断等は受けてますか」と問うようにしている．すると，「はい．受けていますが，私は病院に行くといつも血圧が高いのです．でも，家で測ると120くらいなので大丈夫です」といった答えが返ってくることがある．このケースのように，患者本人は基準値を超える高い数値を見ても，病気である自覚が全くない場合がある．はたして，このような白衣高血圧が疑われた患者には，どう対応するべきだろうか．

日本高血圧学会のガイドラインによると，白衣高血圧は，未治療の患者に対して使われる用語であるとされており，持続性高血圧への高い移行リスクが報告されている．したがって正常血圧の人と比較した場合は，脳心血管病の発症リスクが高いため，注意深いフォローが必要であると結論づけている．白衣高血圧が疑われる患者に対しては，「大丈夫です」という患者の自己診断を鵜呑みにせず，将来的なリスクをしっかり伝えて，内科受診を強く勧めるべきである．我々は歯科医療を通して，患者自身が気づかなかった健康へのリスクを見つけ出し，偶発症の予防のみならず健康増進に寄与できる立場にあることを再認識する必要がある．

〈西原正弘・見﨑　徹〉

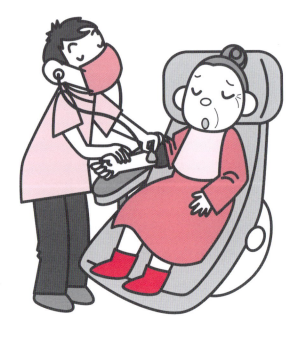

文献

I．症状からみた対処法

1) 日本高血圧学会高血圧治療ガイドライン作成委員会編：高血圧治療ガイドライン2019．日本高血圧学会，東京，2019．
2) 日本高血圧学会高血圧治療ガイドライン作成委員会編：高血圧治療ガイドライン2004．日本高血圧学会，東京，2007．
3) 稲田英一：高齢者の麻酔．真興交易出版，東京，1995．
4) 見﨑　徹 他編：フローチャート式 歯科医のための救急処置マニュアル　第4版．医歯薬出版，東京，2015．
5) 医学のあゆみ編集委員会編：別冊・医学のあゆみ　各科に役立つ救急処置・処方マニュアル．医歯薬出版，東京，1996．
6) 国際頭痛学会・頭痛分類委員会，日本頭痛学会・国際頭痛分類委員会訳：国際頭痛分類　第3版．医学書院，東京，2019．
7) 西福孝二，木村　健：図説病態内科講座　第18巻　症状・症候-1（矢崎義雄，猿田享男，金澤一郎編）．メジカルビュー社，東京，1996，96〜99．
8) Shinnar S, et al：The risk of seizure recurrence after a first unprovoked afebrile in childfood：an extended follow-up. Pediatrics, **98**：216〜225, 1996.
9) 中野昭一，吉岡利忠，田中越郎：図解生理学．医学書院，東京，2000．
10) 岡安大仁：気道・肺疾患の救急初期治療．南山堂，東京，1983．
11) 赤塚宣治著，高久史麿監修：図説病態内科講座　第18巻　症状，症候-1．メジカルビュー社，東京，1996．
12) 比江嶋一昌編：臨床研修イラストレイテッド4　循環器マニュアル．羊土社，東京，1998．
13) 立木　孝 他：胃に落下した異物の機転について．耳鼻咽喉科，**53**：57〜60，1981．
14) 村上　泰 他：歯科的誤飲．日歯会誌，**31**：1106〜1111，1979．
15) 京田直人 他：歯科治療時に発生した気管・食道異物について（会議録）．日歯麻誌，**25**（4）：624，1997．
16) 長澤　斉 他：歯科に関連した異物誤嚥15例について．口科誌，**41**（3）：494〜498，1992．
17) 鎌田守人 他：歯科材料の気道・食道異物症例．耳鼻臨床，**89**（11）：1389〜1394，1996．
18) 佐藤　健 他：小児食道内異物（ミラートップ）の摘出例．日歯麻誌，**24**（2）：343〜344，1996．
19) 谷口正実：特集 気管支喘息：診断と治療の進歩．Ⅳ 喘息の亜型・特殊性・依存症　4．アスピリン喘息．日内会誌，**102**（6）：1426〜1432，2013．
20) 見﨑　徹，横田哲也：歯科における救急薬剤としてのエピネフリン製剤（エピペン®）の有用性．歯科展望，**106**（3）：591〜593，2005．
21) Baluga JC, Casamayou R, et al：Allergy to local anaesthetics in dentistry. Myth or reality？ Allergol et Immunopathol, **30**：14〜19, 2002.
22) Luebke NH, Walker JA：Discussion of sensitivity to preservatives in anesthetics. JADA, **97**：656〜657, 1978.
23) 福田　健編：総合アレルギー学　第2版．南山堂，東京，2010，194．
24) 松村光明：アレルギー 花粉症からアナフィラキシーまで．診断と治療，**99**（2）：298，2011．
25) International Headache Society：Classification and diagnostic criteria for headache and facial pain. Cephalalgia, **8**(Suppl 7)：1, 1988.
26) 矢田純一 他編：今日の小児治療指針　第12版．医学書院，東京，2000．
27) 五十嵐久佳，坂井文彦：図説病態内科講座　第19巻　症状・症候-2（矢崎義雄，猿田享男，金澤一郎編）．メジカルビュー社，東京，1996，174〜179．
28) 星野晴彦，高城　誠：最新内科学体系　第3巻　主要症候-症候から診断へ-（井村裕夫，尾形悦郎，高久史麿，垂井清一郎編）．中山書店，東京，1996，176〜179．
29) 宮崎秀健，黒岩義之：図説病態内科講座　第19巻　症状・症候-2（矢崎義雄，猿田享男，金澤一郎編）．メジカルビュー社，東京，1996，191〜201．
30) 大塚敏文，益子邦洋：当直医救急マニュアル．インターメディカ，東京，1995．
31) 太田保世，川上義和編著：呼吸器病学．中外医学社，東京，1990．

文献

32) 小濱哲次編著：救急マニュアル救急初療から救命処置まで．医学書院，東京，1991，289．

33) 金子　譲編：歯科臨床と局所麻酔．医歯薬出版，東京，1995，172．

34) 奈良信雄：臨床研修イラストレイテッド2　基本手技（救急処置）．羊土社，東京，1998，14．

35) 小濱啓次：心肺（脳）蘇生法の実際　第3版．へるす出版，東京，1994，39．

36) 大橋俊夫，坂口正雄，山根　健　他：精神性発汗現象―測定法と臨床応用―（大橋俊夫，宇尾野公義編）．スズケン医療機器事業部・竹田印刷，名古屋，1993，45～46．

37) 赤松功也：最新医学知識の整理　プルミエ医学・医療総論Ⅳ　主要症状とその病態生理（橋本信也，丸山雄二編）．医歯薬出版，東京，1988，336．

38) 古屋英毅 他編：歯科麻酔学　第5版．医歯薬出版，東京，1997，481～494．

39) 西谷信之：痙攣．Clinical Neuroscience，**12**：254～256，1994．

40) 頭痛研究会：頭痛，頭蓋神経痛，顔面痛の分類および診断基準．頭痛研究会誌，**18**：92，1991．

41) 椙山加綱：歯科全身管理学．日本歯科新聞社，東京，1999，56～59．

42) 久保田理恵 他：速効性を期待したニフェジピン投与方法の実際と課題．日病薬誌，**34**（11）：53～58，1998．

43) 福山祐三，油野民雄，高杉佑一：よくわかる内科症候学．金原出版，東京，1997，122～123．

44) 柳澤信夫，小林茂昭 他編：クイックアプローチ救急医療実践ハンドブック．南江堂，東京，1997．

45) 厚生省健康政策局指導課：救急救命士標準テキスト．へるす出版，東京，1991．

46) 川上義和編著：身体所見のとりかた　理論をふまえて進める効果的な診察法．文光堂，東京，1991．

47) 山本一彦編：アレルギー病学．朝倉書店，東京，2002，360～363．

48) 厚生労働省喘息死ゼロ作戦評価委員会　太田　健 他：喘息死ゼロ作戦の実行に関する指針．http://www.mhlw.go.jp/new-info/kobetu/kenkou/ryumachi/dl/jititai05.pdf

49) 堀場通明：喘息死予防に向けて：地域医療連携はどうあるべきか．アレルギー，**53**（7）：655～658，2004．

50) 中澤次夫，松井猛彦 他：喘息死特別委員会報告．アレルギー，**53**（12）：1216～1219，2004．

51) 榊原博樹，末次　勧：気管支喘息の病型分類とアスピリン喘息．日胸疾会誌，**33**（増刊）：106～115，1995．

52) 榊原博樹：Ⅳ　喘息の特殊病態　1．アスピリン喘息．日内会誌，**85**（2）：67～73，1998．

53) 厚生労働省：重篤副作用疾患別対応マニュアル「出血傾向」．平成19年6月．

54) 循環器疾患における抗凝固・抗血小板療法に関するガイドライン（2002-2003年度合同研究班報告）．Circ J, **68**(Suppl Ⅳ)：1153～1219，2004．

55) 矢郷　香，朝波惣一郎：抗血栓療法患者の抜歯臨床Q&A．医学情報社，東京，2008．

56) 高橋　哲：インプラント外科手術のスキルアップ．医学情報社，東京，2003，67～71．

57) 高松純樹：術中輸血のポイント．臨研プラクティス，**5**（7）：70，2008．

58) 米田俊之，萩野　浩，杉本利嗣 他：骨吸収抑制薬関連顎骨壊死の病態と管理：顎骨壊死検討委員会ポジションペーパー2016．http://jsbmr.umin.jp/guide/pdf/bppositionpaper2016.pdf.

59) 黒嶋伸一郎，澤瀬　隆：顎骨壊死検討委員会ポジションペーパー2016の注目すべき15項目と歯科医師が知っておくべき顎骨壊死に関する10の基礎知識．歯界展望，**129**：660～672，2017．

60) 矢郷　香：薬剤関連顎骨壊死に対する医科・歯科連携について．有病者歯医療，**26**：209～217，2017．

61) Soutome S et al：Relationship between tooth extraction and development of medication-related osteonecrosis of the jaw in cancer patients. *Sci Rep*, **11**：17226，2021．

62) 日本糖尿病学会編・著：糖尿病治療ガイド2022-2023．文光堂，東京，2022．

63) 日本糖尿病学会編：糖尿病治療の手びき2020　改訂第58版．南江堂，東京，2020．

64) 清野　裕，南條輝志男，田嶼尚子 他：糖尿病の分類と診断基準に関する委員会報告（国際化標準化対応版）．糖尿病，**55**：485～504，2012．

65) 日本歯周病学会編：糖尿病患者に対する歯周治療ガイドライン　改訂第2版．2014．

66) 卜部貴夫：意識障害　内科医に必要な救急医療. 日内会誌, **99**：1082-1089, 2010.
67) 湘南地区メディカルコントロール協議会：意識障害ガイドライン 2019.
68) 西村哲郎, 溝端康光：意識障害患者の救急医療. 生物試料分析, **40**（4）, 193-198, 2017.
69) 日本アレルギー学会　喘息ガイドライン専門部会：喘息予防・管理ガイドライン 2021. 協和企画, 東京, 2021.
70) 日本有病者歯科医療学会　他編：抗血栓療法患者の抜歯に関するガイドライン 2020 年版. 学術社, 東京, 2020.
71) 松尾美央子：メトヘモグロビン血症. 耳鼻と臨床, **65**（2）：70-72, 2019.
72) 市川大以　他：全身麻酔下での智歯抜歯時に使用した塩酸プロピトカインにより発症したメトヘモグロビン血症の1例. 日口腔診断会誌, **29**(2)：104-108, 2016.

II. 救命処置

1) 見﨑　徹　他編：フローチャート式　歯科医のための救急処置マニュアル　第5版. 医歯薬出版, 東京, 2018.
2) American Heart Association：BLSプロバイダーマニュアル　AHAガイドライン 2020 準拠. シナジー, 東京, 2021.
3) American Heart Association：ACLSプロバイダーマニュアル　AHAガイドライン 2020 準拠. シナジー, 東京, 2021.
4) American Heart Association：ECC（救急心血管治療）ハンドブック 2020. シナジー, 東京, 2021.
5) 日本蘇生協議会　監修：JRC蘇生ガイドライン 2020. 医学書院, 東京, 2021.
6) 小泉俊三編：レジデント臨床基本技能イラストレイテッド. 医学書院, 東京, 1998.

III. 偶発症予防のためにできること

1) 歯科麻酔学会Q&A. 日歯麻誌, **30**（1）：92〜94, 2002.
2) 川上義和編：身体所見のとりかた　理論をふまえて進める効果的な診察法. 文光堂, 東京, 1991.
3) 尾前照雄監修：血圧モニタリングの臨床. 医学書院, 東京, 1993, 8.
4) Shepherd JT, Vanhoutte PM（今井昭一　他訳）：人間の心臓血管系：病態生理とその理論的考察図解. 西村書店, 東京, 1983.
5) 上田　裕：歯科臨床に必要なモニタリング. 日歯医歯会誌, **50**：398〜406, 1997.
6) 諏訪邦夫：パルスオキシメーター. 中外医学社, 東京, 1989.
7) 見﨑　徹　他編：フローチャート式　歯科医のための救急処置マニュアル　第4版. 医歯薬出版, 東京, 2015.
8) 日野原重明　他：バイタルサイン　そのとらえ方とケアへの生かし方. 医学書院, 東京, 1985.
9) 金子　譲監修, 福島和昭　他編：歯科麻酔学　第7版. 医歯薬出版, 東京, 2011.
10) 医学のあゆみ編集委員会編：別冊・医学のあゆみ　各科に役立つ救急処置・処方マニュアル. 医歯薬出版, 東京, 1996.
11) 柳澤信夫, 小林茂昭　他編：クイックアプローチ救急医療実践ハンドブック. 南江堂, 東京, 1997.
12) 厚生省健康政策局指導課：救急救命士標準テキスト. へるす出版, 東京, 1991.
13) 日本高血圧学会高血圧治療ガイドライン作成委員会編：高血圧治療ガイドライン 2019. 日本高血圧学会, 東京, 2019.
14) Bobrie G, et al：Cardiovascular prognosis of "masked hypertension" detected by blood pressure self-measurement in elderly treated hypertensive patients. JAMA, **291**（11）：1342〜1349, 2004.
15) 日本高血圧学会編：家庭血圧測定の指針　第2版. ライフサイエンス出版, 東京, 2011.
16) 伊東隆利　編著：新スタンダード歯科小手術. デンタルダイヤモンド社, 東京, 2010, 14〜15.
17) 石渕佳菜子　他：歯科訪問診療のやりがいよもやま話. 第7回「改めて今, 歯科訪問診療における感染予防と対策」. QDT, **45**：904〜905, 2020.
18) 椙山加綱：有病高齢者歯科治療のガイドライン　上. クインテッセンス出版, 東京, 2013.

索引

■ア
アームドロップテスト　32
亜酸化窒素（笑気）吸入鎮静法　82，168
アダラート　2
アドレナリン　2，10，24
アドレナリン過敏反応　11
アトロピン硫酸塩水和物　6
アナフィラキシー　72，85
アナフィラキシー様反応　73
アネロイド血圧計　152
アレルギー　68
アレルギー反応　68，72
アンビューバッグ　106
握雪感　85
圧脈波　154

■イ
１回換気量　164
医療面接　128
異常高血圧　2
異常絞扼反射　38，168
異常心電図　22
異物排出法　57
意識・呼吸の確認　98，110
意識障害　30
意識喪失　30
息切れ　167
一次救命処置　98
咽喉頭部　58，84

■エ
エアロゾル　100，148
エチレフリン塩酸塩　6
エピペン　74
エフェドリン　6
エフェドリン塩酸塩　6
エホチール　6

■オ
嘔吐　38
嘔吐反射　168

■カ
外来血圧　127，172
カフ　112，150，152

■カ（続）
カフ・オシロメトリック法　152，171
過換気　24
過換気症候群　24，30
過呼吸発作　30
拡張期血圧　4，150，152
間接的血圧測定　150，153
感染予防　100，133，148

■キ
気管支攣縮（けいれん）　59
気腫　84
気道確保　105，110
気道閉塞　59
起坐呼吸　60，166
救急薬品　119
虚血性心疾患　24，28，138
狭心症　24，25，138
胸骨圧迫　103，110
局所麻酔薬アレルギー反応　11
局所麻酔薬中毒　11，80，83
筋肉注射　115

■ク
クインケ浮腫　84
クスマウル呼吸　166
くも膜下出血　31，34，48
口すぼめ呼吸　166

■ケ
けいれん　42，45
経皮的動脈血酸素飽和度　160
血圧計　152，170
血管収縮薬　80
血管収縮薬に対する過敏反応　80
血管神経性浮腫　84

■コ
コロトコフ音　150，152
呼吸の型　166
呼吸困難　48，167
呼吸抑制　48
誤嚥　56
口底部　84
交互脈　156
抗菌薬の予防投与　139

抗RANKL抗体製剤　90
高血圧　2，137，170
高血圧性脳症　2，34
高血糖　92，93
高濃度酸素吸入　83
喉頭けいれん　59
興奮　80
骨吸収抑制薬　88
骨吸収抑制薬関連顎骨壊死　88
骨粗鬆症　88
昏睡　33
■サ
サルタノール　61
酸素解離曲線　160，161
■シ
シタネスト-オクタプレシン　10，29
ジアゼパム　3，11，26，80
じんましん　85
四肢冷感　64，66
死戦期呼吸　102
歯科治療恐怖症　41，168
歯痛　34
自動体外式除細動器（AED）　105，108
収縮期血圧　4，150，152，156，172
収縮期雑音　151
徐脈　6，14，156
徐脈性不整脈　16
小児のけいれん　44
小脈　156
昇圧薬　7
上肢落下テスト　32
上腕動脈　112，157
静脈内鎮静法　29，48，51，82
静脈留置針　117
触診　156
触診法　150
出血　76
新型コロナウイルス感染症対策チェックリスト　126
心筋虚血　24，26
心筋梗塞　20，24，25，138
心臓神経症　25，26

心電図　18，23
心電図検査　18
心拍出量　156
人工呼吸　80，99，105，110
診療室血圧　4，5，172
■ス
スキャンドネスト　10，96
頭痛　2，34
■セ
セルシン　3
ぜんそく発作　60
精神神経疾患　82
精神性発汗　64，67
■ソ
ソル・コーテフ　63
総頸動脈　102，157
足背動脈　157
速脈　157，158
■タ
対診　134
大脈　156
■チ
チェーン・ストークス呼吸　166
遅脈　156，158
聴診間隙　151
聴診法　150，152
■テ
デノスマブ　88
てんかん発作　42
低血糖　66，92
電気ショック　99，108，111
■ト
ドルミカム　2
橈骨動脈　150，156，158
洞機能不全症候群　15，156
動脈血酸素飽和度　160
動脈波形　155
動脈拍動　150，156
■ニ
ニカルジピン　2
ニトロールスプレー　2

索引

ニトログリセリン　26, 27
ニフェジピン　2, 11
■ノ
脳貧血　30
脳貧血（様）発作　6, 14, 82
■ハ
バイタルサイン　10, 32, 112, 148, 150
白衣高血圧　173
バッグバルブマスク　106
パニック障害/パニック症　26
パルスオキシメータ　28, 113, 160
吐き気　38
肺気量　165
■ヒ
ヒステリー　32, 80, 82
ヒドロコルチゾン　63
ビオー呼吸　166
ビスホスホネート製剤　88
皮内反応試験　75
標準12誘導心電図　18
頻脈　10, 156
頻脈性不整脈　13, 156
■フ
フルマゼニル　82
プレドニゾロン　63
不整脈　10, 16, 18, 137
浮腫　84
副鼻腔炎　34
■ヘ
ペルジピン　2
平均血圧　154
■ホ
ホリゾン　3
訪問歯科診療　145, 148
望診　128
発作性頻拍　11
■ミ
ミダゾラム　2, 48, 80
脈の大きさ　157
脈の性状　157
脈圧　154, 156

脈拍　10, 14, 156
脈拍数　10, 156
■メ
メタボリックシンドローム　4
メトヘモグロビン血症　52
■モ
問診　128
■ヤ
薬剤関連顎骨壊死　88
■ヨ
翼状針　116
■リ
リズム　18, 156
リドカイン　12, 68, 80
リンパ球刺激試験　70, 74
■レ
冷汗　64, 66
■ロ
肋間神経痛　25

■欧文
AED　108, 111, 122
ARONJ　88
BLS　98
BP製剤　88, 90
BRONJ　88
COVID-19　100, 132
DRONJ　88
DLST　70, 74
Japan Coma Scale（JCS）　31
MRONJ　88
problem oriented system　128
POS　128
RPP　28
SaO_2　160
SpO_2　160
STの低下　28
STの上昇　28
WPW症候群　11

【編者略歴】

見﨑　徹

1975年	日本大学歯学部卒業
2009年	日本大学准教授（歯学部歯科麻酔学講座）
2017年	日本大学歯学部兼任講師
役職等	日本歯科麻酔学会認定医
	日本有病者歯科医療学会理事・評議員
	日本歯科医史学会理事・評議員
	ICD（インフェクションコントロールドクター）

伊東隆利

1968年	日本大学歯学部卒業
1972年	鹿児島大学大学院医学研究科修了
1975年	鹿児島大学医学部講師
	（歯科口腔外科学講座）
2009年	医療法人伊東会　伊東歯科口腔病院理事長
	（熊本市）
役職等	日本有病者歯科医療学会指導医・専門医
	日本口腔外科学会指導医・専門医
	日本歯周病学会指導医・専門医
	日本口腔インプラント学会指導医・専門医
	日本障害者歯科学会指導医・認定医

渋谷　鑛

1979年	日本大学松戸歯学部卒業
1994年	日本大学教授
	（松戸歯学部歯科麻酔学講座）
2012～2015年，2017～2020年	
	日本大学松戸歯学部長
2020年	日本大学松戸歯学部特任教授
2021年	日本大学客員教授（松戸歯学部）
役職等	日本歯科麻酔学会認定医・専門医, 名誉会員
	日本歯科医史学会理事長
	日本歯科医学会理事

フローチャート式
歯科医のための救急処置マニュアル
第6版　　　　　　　　　ISBN978-4-263-44666-9

2003年9月20日　第1版第1刷発行
2022年9月20日　第6版第1刷発行

編者　見﨑　　徹
　　　伊東　隆利
　　　渋谷　　鑛

発行者　白石　泰夫

発行所　医歯薬出版株式会社

〒113-8612　東京都文京区本駒込1-7-10
TEL．（03）5395-7638（編集）・7630（販売）
FAX．（03）5395-7639（編集）・7633（販売）
https://www.ishiyaku.co.jp/
郵便振替番号　00190-5-13816

乱丁，落丁の際はお取り替えいたします　　印刷・木元省美堂／製本・榎本製本
© Ishiyaku Publishers, Inc., 2003, 2022. Printed in Japan

本書の複製権・翻訳権・翻案権・上映権・譲渡権・貸与権・公衆送信権（送信可能化権を含む）・口述権は，医歯薬出版㈱が保有します．
本書を無断で複製する行為（コピー，スキャン，デジタルデータ化など）は，「私的使用のための複製」などの著作権法上の限られた例外を除き禁じられています．また私的使用に該当する場合であっても，請負業者等の第三者に依頼し上記の行為を行うことは違法となります．

JCOPY ＜出版者著作権管理機構　委託出版物＞
本書をコピーやスキャン等により複製される場合は，そのつど事前に出版者著作権管理機構（電話 03-5244-5088，FAX 03-5244-5089，e-mail：info@jcopy.or.jp）の許諾を得てください．